ADVANCED LATIN UNSEENS

Drawn from the selection of Cook and Marchant and edited by

Anthony Bowen

Published by Bristol Classical Press
(by arrangement with Methuen & Co. Ltd.)
General Editor: John H. Betts

Cover illustration: A Roman provincial schoolmaster with one of his pupils; from a late second-century AD sandstone funerary relief; found at Neumagen (*Novio-magus*) in West Germany, Rheinisches Landesmuseum, Trier (No. 9921).

First published in 1980 by Bristol Classical Press

Bristol Classical Press
an imprint of
Gerald Duckworth & Co. Ltd
The Old Piano Factory
48 Hoxton Square, London N1 6PB

Reprinted 1993

A catalogue record for this book is available from the British Library

ISBN 0-906515-54-8

Available in USA and Canada from:
Focus Information Group
PO Box 369
Newburyport
MA 01950

Printed in Great Britain by
Bookprint, Bristol

Preface

Cook and Marchant published their Passages for Unseen Translation in 1898. The selection, from both Greek and Latin authors, has proved useful ever since. In this revised edition of the Latin half of the book the original 200 pieces of prose and verse have been cut down to 120, 60 of each; and the order of pieces has been changed in the hope that a new one will better suit a contemporary student's progress from some time in the first year of A level to the end of the second, and perhaps a little beyond. Prose and verse alternate, as before, but each follows its own gradient of difficulty.

I hope users of previous editions will not find that too many of their cherished passages have disappeared in this. The original selection was distinguished by the wide range of authors in time and matter (though standard authors predominated) and by the intrinsic interest of the pieces. As before, no titles have been provided, and no vocabulary or notes given: it is left to teachers to give what introduction and help their classes may need. There is an index of authors (p. iv), including their approximate dates.

The texts have been checked mostly against Oxford Classical texts and Loebs, or against more recent editions where these exist; anyone familiar with the original edition will find changes. Cook and Marchant printed virtually without comment, cutting, adapting and occasionally rewriting in cavalier fashion. I have been able to print a clean text in all but one case, and in no case have I printed other than the author's words; sometimes I have re-selected within the area, to preserve both Cook and Marchant's choice of topic and the author's continuity; all cuts are indicated in the references in the headings. I have followed Cook and Marchant in not starting or finishing some passages where the original sentences started or finished. Spelling, with due exception for early or archaising authors, is mostly as usual. Greek words where they occur have been transliterated and italicised.

I am grateful to Desmond Costa of Birmingham University for access to the university library, to Jean Bees for the cover illustration, and to John Betts for help on points of detail and of principle in both this and the Greek selection.*

Shrewsbury
September 1980

Anthony Bowen
Senior Classics Master
Shrewsbury School

**Advanced Greek Unseens* edited by Anthony Bowen published by Bristol Classical Press, 1980.

ALPHABETICAL LIST OF AUTHORS

1. CAESAR: *de Bello Gallico* 5.30.1-31.4

30.1 hac in utramque partem disputatione habita, cum a Cotta primisque ordinibus acriter resisteretur, 'vincite,' inquit, 'si ita vultis,' Sabinus, et id clariore voce, ut magna pars militum exaudiret: 'neque is sum,' inquit, 2 'qui gravissime ex vobis mortis periculo terrear: hi sapient; si gravius quid acciderit, abs te rationem reposcent qui, si per te liceat, perendino 3 die cum proximis hibernis coniuncti communem cum reliquis belli casum sustineant, non reiecti et relegati longe ab ceteris aut ferro aut fame intereant.'

31.1 consurgitur ex consilio; comprehendunt utrumque et orant ne sua dis- 2 sensione et pertinacia rem in summum periculum deducant: facilem esse rem, seu maneant, seu proficiscantur, si modo unum omnes sentiant ac 3 probent; contra in dissensione nullam se salutem perspicere. res disputatione ad mediam noctem perducitur. tandem dat Cotta permotus 4 manus: superat sententia Sabini. pronuntiatur prima luce ituros.

2. TIBULLUS 1.3.35-50

35 quam bene Saturno vivebant rege, priusquam
tellus in longas est patefacta vias!
nondum caeruleas pinus contempserat undas,
effusum ventis praebueratque sinum,
nec vagus ignotis repetens compendia terris
40 presserat externa navita merce ratem.
illo non validus subiit iuga tempore taurus,
non domito frenos ore momordit equus,
non domus ulla fores habuit, non fixus in agris
qui regeret certis finibus arva lapis.
45 ipsae mella dabant quercus, ultroque ferebant
obvia securis ubera lactis oves.
non acies, non ira fuit, non bella, nec ensem
immiti saevus duxerat arte faber.
nunc Iove sub domino caedes et vulnera semper,
50 nunc mare, nunc leti mille repente viae.

3. CICERO: *de Lege Agraria* 2.95

non ingenerantur hominibus mores tam a stirpe generis ac seminis quam ex eis rebus quae ab ipsa natura nobis ad vitae consuetudinem suppeditantur, quibus alimur et vivimus. Carthaginienses fraudulenti et mendaces non genere, sed natura loci, quod propter portus suos multis et variis mercatorum et advenarum sermonibus ad studium fallendi studio quaestus vocabantur. Ligures duri atque agrestes; docuit ager ipse nihil ferendo nisi multa cultura et magno labore quaesitum. Campani semper superbi bonitate agrorum et fructuum magnitudine, urbis salubritate, descriptione, pulchritudine. ex hac copia atque omnium rerum affluentia primum illa nata est arrogantia qua a maioribus nostris alterum Capua consulem postularunt, deinde ea luxuries quae ipsum Hannibalem armis etiam tum invictum voluptate vicit.

4. OVID: *Tristia* 4.6.1-18

tempore ruricolae patiens fit taurus aratri,
 praebet et incurvo colla premenda iugo;
tempore paret equus lentis animosus habenis,
 et placido duros accipit ore lupos;
5 tempore Poenorum compescitur ira leonum,
 nec feritas animo, quae fuit ante, manet;
quaeque sui monitis obtemperat Inda magistri
 belua, servitium tempore victa subit.
tempus ut extensis tumeat facit uva racemis,
10 vixque merum capiant grana quod intus habent;
tempus et in canas semen producit aristas,
 et ne sint tristi poma sapore cavet.
hoc tenuat dentem terras renovantis aratri,
 hoc rigidos silices, hoc adamanta terit;
15 hoc etiam saevas paulatim mitigat iras,
 hoc minuit luctus maestaque corda levat.
cuncta potest igitur tacito pede lapsa vetustas
 praeterquam curas attenuare meas.

5. LIVY 9.30.5-10

5 eiusdem anni rem dictu parvam praeterirem, ni ad religionem visa esset pertinere. tibicines, quia prohibiti a proximis censoribus erant in aede Iovis vesci quod traditum antiquitus erat, aegre passi Tibur uno agmine abierunt, adeo ut nemo in urbe esset qui sacrificiis praecineret. 6 eius rei religio tenuit senatum legatosque Tibur miserunt: darent 7 operam ut ei homines Romanis restituerentur. Tiburtini benigne polliciti primum accitos eos in curiam hortati sunt uti reverterentur Romam; postquam perpelli nequibant, consilio haud abhorrente ab ingeniis 8 hominum eos aggrediuntur. die festo alii alios per speciem celebrandarum cantu epularum invitant, et vino, cuius avidum ferme id 9 genus est, oneratos sopiunt atque ita in plaustra somno vinctos coniciunt ac Romam deportant; nec prius sensere quam plaustris in foro relictis 10 plenos crapulae eos lux oppressit. tunc concursus populi factus, impetratoque ut manerent, datum ut triduum quotannis ornati cum cantu atque hac quae nunc sollemnis est licentia per urbem vagarentur, restitutumque in aede vescendi ius eis qui sacris praecinerent.

6. VERGIL: *Aeneid* 11.39-58

ipse caput nivei fultum Pallantis et ora
40 ut vidit levique patens in pectore vulnus
cuspidis Ausoniae, lacrimis ita fatur obortis:
'tene,' inquit 'miserande puer, cum laeta veniret,
invidit Fortuna mihi, ne regna videres
nostra neque ad sedes victor veherere paternas?
45 non haec Evandro de te promissa parenti
discedens dederam, cum me complexus euntem
mitteret in magnum imperium metuensque moneret
acris esse viros, cum dura proelia gente.
et nunc ille quidem spe multum captus inani
50 fors et vota facit cumulatque altaria donis,
nos iuvenem exanimum et nil iam caelestibus ullis
debentem vano maesti comitamur honore.
infelix, nati funus crudele videbis!
hi nostri reditus exspectatique triumphi?
55 haec mea magna fides? at non, Evandre, pudendis
vulneribus pulsum aspicies, nec sospite dirum
optabis nato funus pater. ei mihi quantum
praesidium, Ausonia, et quantum tu perdis, Iule!'

7. CICERO: *ad Familiares* 14.4.1-3

Scr. Brundisi pridie Kal. Mai. an. 696 (58 B.C.)

TULLIUS S. D. TERENTIAE ET TULLIAE ET CICERONI SUIS

1 ego minus saepe do ad vos litteras quam possum, propterea quod cum omnia mihi tempora sunt misera, tum vero, cum aut scribo ad vos aut vestras lego, conficior lacrimis sic ut ferre non possim. quod utinam minus vitae cupidi fuissemus! certe nihil aut non multum in vita mali vidissemus. quod si nos ad aliquam alicuius commodi aliquando reciperandi spem fortuna reservavit, minus est erratum a nobis; si haec mala fixa sunt, ego vero te quam primum, mea vita, cupio videre et in tuo complexu emori, quoniam neque di, quos tu castissime coluisti, neque homines, quibus ego semper servivi, nobis gratiam rettulerunt.

2 nos Brundisi apud M. Laenium Flaccum dies XIII fuimus, virum optimum, qui periculum fortunarum et capitis sui prae mea salute neglexit neque legis improbissimae poena deductus est quo minus hospiti et amicitiae ius officiumque praestaret. huic utinam aliquando gratiam 3 referre possimus! habebimus quidem semper. Brundisio profecti sumus a. d. II Kal. Mai.; per Macedoniam Cyzicum petebamus.

o me perditum, o afflictum! quid nunc rogem te ut venias, mulierem aegram et corpore et animo confectam? non rogem? sine te igitur sim? opinor, sic agam: si est spes nostri reditus, eam confirmes et rem adiuves;

sin, ut ego metuo, transactum est, quoquo modo potes ad me fac venias. unum hoc scito: si te habebo, non mihi videbor plane perisse. sed quid Tulliola mea fiet? iam id vos videte; mihi deest consilium. vale.

8. RUTILIUS NAMATIANUS: *de Reditu Suo* 1.43-58 and 63-66

crebra relinquendis infigimus oscula portis:
   inviti superant limina sacra pedes.
45 oramus veniam lacrimis et laude litamus
   in quantum fletus currere verba sinit:
'exaudi, regina tui pulcherrima mundi,
   inter sidereos Roma recepta polos,
exaudi, genetrix hominum genetrixque deorum,
50   non procul a caelo per tua templa sumus:
te canimus, semperque, sinent dum fata, canemus;
   hospes nemo potest immemor esse tui.
obruerint citius scelerata oblivia solem,
   quam tuus e nostro corde recedat honos.
55 nam solis radiis aequalia munera tendis,
   quos circumfusus fluctuat oceanus.
volvitur ipse tibi, qui continet omnia, Phoebus
   eque tuis ortos in tua condit equos.

fecisti patriam diversis gentibus unam,
   profuit iniustis te dominante capi.
65 dumque offers victis proprii consortia iuris,
   urbem fecisti quod prius orbis erat.

9. SALLUST: *Bellum Jugurthinum* 4.1-6

1 ceterum ex aliis negotiis quae ingenio exercentur, in primis magno usui est memoria rerum gestarum. 2 cuius de virtute quia multi dixere, praetereundum puto, simul ne per insolentiam quis existumet memet studium meum laudando extollere. 3 atque ego credo fore qui, quia decrevi procul a re publica aetatem agere, tanto tamque utili labori meo nomen inertiae imponant, certe quibus maxuma industria videtur salutare plebem et conviviis gratiam quaerere. 4 qui si reputaverint et quibus ego temporibus magistratus adeptus sum quales viri idem assequi nequiverint, et postea quae genera hominum in senatum pervenerint, profecto existumabunt me magis merito quam ignavia iudicium animi mei mutavisse, maiusque commodum ex otio meo quam ex aliorum negotiis rei publicae venturum. 5 nam saepe ego audivi Q. Maxumum, P. Scipionem, praeterea civitatis nostrae praeclaros viros solitos ita dicere, cum maiorum imagines intuerentur, vehementissume sibi animum ad virtutem accendi. 6 scilicet non ceram illam neque figuram tantam vim in sese habere, sed memoria rerum gestarum eam flammam

egregiis viris in pectore crescere neque prius sedari quam virtus eorum famam atque gloriam adaequaverit.

10. VERGIL: *Aeneid* 8.675-693

675 in medio classis aeratas, Actia bella,
cernere erat, totumque instructo Marte videres
fervere Leucaten auroque effulgere fluctus.
hinc Augustus agens Italos in proelia Caesar
cum patribus populoque, penatibus et magnis dis,
680 stans celsa in puppi, geminas cui tempora flammas
laeta vomunt patriumque aperitur vertice sidus.
parte alia ventis et dis Agrippa secundis
arduus agmen agens, cui, belli insigne superbum,
tempora navali fulgent rostrata corona.
685 hinc ope barbarica variisque Antonius armis,
victor ab Aurorae populis et litore rubro,
Aegyptum virisque Orientis et ultima secum
Bactra vehit, sequiturque – nefas – Aegyptia coniunx.
una omnes ruere ac totum spumare reductis
690 convulsum remis rostrisque tridentibus aequor.
alta petunt; pelago credas innare revulsas
Cycladas aut montis concurrere montibus altos,
tanta mole viri turritis puppibus instant.

11. CICERO: *pro Plancio* 64-65

64 non vereor ne mihi aliquid, iudices, videar arrogare, si de quaestura mea dixero. quamvis enim illa floruerit, tamen eum me postea fuisse in maximis imperiis arbitror ut non ita multum mihi gloriae sit ex quaesturae laude repetendum. sed tamen non vereor ne quis audeat dicere ullius in Sicilia quaesturam aut clariorem aut gratiorem fuisse. vere me hercule hoc dicam: sic tum existimabam, nihil homines aliud Romae nisi de quaestura mea loqui. frumenti in summa caritate maximum numerum miseram; negotiatoribus comis, mercatoribus iustus, mancipibus liberalis, sociis abstinens, omnibus eram visus in omni officio diligentissimus; excogitati quidam erant a Siculis honores in me 65 inauditi. itaque hac spe decedebam ut mihi populum Romanum ultro omnia delaturum putarem. at ego cum casu diebus eis itineris faciendi causa decedens e provincia Puteolos forte venissem, cum plurimi et lautissimi in eis locis solent esse, concidi paene, iudices, cum ex me quidam quaesisset quo die Roma exissem et num quidnam esset novi. cui cum respondissem me e provincia decedere: 'etiam me hercule,' inquit, 'ut opinor, ex Africa.' huic ego iam stomachans fastidiose: 'immo ex Sicilia,' inquam. tum quidam, quasi qui omnia sciret: 'quid? tu nescis,' inquit, 'hunc quaestorem Syracusis fuisse?' quid multa? destiti stomachari et me unum ex eis feci qui ad aquas venissent.

12. OVID: *Fasti* 2.215-236

215 campus erat: campi claudebant ultima colles
    silvaque montanas occulere apta feras.
in medio paucos armentaque rara relinquunt,
    cetera virgultis abdita turba latet.
ecce velut torrens undis pluvialibus auctus
220 aut nive, quae Zephyro victa tepente fluit,
per sata perque vias fertur nec, ut ante solebat,
    riparum clausas margine finit aquas:
sic Fabii vallem latis discursibus implent,
    quodque vident, sternunt, nec metus alter inest.
225 quo ruitis, generosa domus? male creditis hosti:
    simplex nobilitas, perfida tela cave!
fraude perit virtus: in apertos undique campos
    prosiliunt hostes et latus omne tenent.
quid faciant pauci contra tot milia fortes?
230 quidve, quod in misero tempore restet, habent?
sicut aper longe silvis Laurentibus actus
    fulmineo celeres dissipat ore canes,
mox tamen ipse perit, sic non moriuntur inulti
    vulneraque alterna dantque feruntque manu.
235 una dies Fabios ad bellum miserat omnes:
    ad bellum missos perdidit una dies.

13. PLINY the younger: *Epistulae* 7.27.5-11

5 erat Athenis spatiosa et capax domus sed infamis et pestilens. per silentium noctis sonus ferri, et si attenderes acrius, strepitus vinculorum longius primo, deinde e proximo reddebatur: mox apparebat idolon, senex macie et squalore confectus, promissa barba horrenti capillo; cruribus compedes, manibus catenas gerebat quatiebatque. 6 inde inhabitantibus tristes diraeque noctes per metum vigilabantur; vigiliam morbus et crescente formidine mors sequebatur. nam interdiu quoque, quamquam abscesserat imago, memoria imaginis oculis inerrabat, longiorque causis timoris timor erat. deserta inde et damnata solitudine domus totaque illi monstro relicta; proscribebatur tamen, seu quis emere seu quis conducere ignarus tanti mali vellet. 7 venit Athenas philosophus Athenodorus, legit titulum auditoque pretio, quia suspecta vilitas, percunctatus omnia docetur ac nihilo minus, immo tanto magis conducit. ubi coepit advesperascere, iubet sterni sibi in prima domus parte, poscit pugillares stilum lumen, suos omnes in interiora dimittit; ipse ad scribendum animum oculos manum intendit, ne vacua mens audita simulacra et inanes sibi metus fingeret. 8 initio, quale ubique, silentium noctis; dein concuti ferrum, vincula moveri. ille non tollere oculos, non remittere stilum, sed offirmare animum auribusque

praetendere. tum crebrescere fragor, adventare et iam ut in limine, iam ut intra limen audiri. respicit, videt agnoscitque narratam sibi effigiem. 9 stabat innuebatque digito similis vocanti. hic contra ut paulum exspectaret manu significat rursusque ceris et stilo incumbit. illa scribentis capiti catenis insonabat. respicit rursus idem quod prius 10 innuentem, nec moratus tollit lumen et sequitur. ibat illa lento gradu quasi gravis vinculis. postquam deflexit in aream domus, repente dilapsa deserit comitem. desertus herbas et folia concerpta signum loco 11 ponit. postero die adit magistratus, monet ut illum locum effodi iubeant. inveniuntur ossa inserta catenis et implicita, quae corpus aevo terraque putrefactum nuda et exesa reliquerat vinculis; collecta publice sepeliuntur. domus postea rite conditis manibus caruit.

14. LUCRETIUS: *de Rerum Natura* 1.1-16

Aeneadum genetrix, hominum divomque voluptas,
alma Venus, caeli subter labentia signa
quae mare navigerum, quae terras frugiferentis
concelebras, per te quoniam genus omne animantum
5 concipitur visitque exortum lumina solis:
te, dea, te fugiunt venti, te nubila caeli
adventumque tuum, tibi suavis daedala tellus
summittit flores, tibi rident aequora ponti
placatumque nitet diffuso lumine caelum.
10 nam simul ac species patefactast verna diei
et reserata viget genitabilis aura favoni,
aeriae primum volucres te, diva, tuumque
significant initum perculsae corda tua vi.
inde ferae pecudes persultant pabula laeta
15 et rapidos tranant amnis: ita capta lepore
te sequitur cupide quo quamque inducere pergis.

15. CURTIUS: *History of Alexander* 9.2.29-32

29 cetera vobis imperavi; hoc unum debiturus sum. et is vos rogo qui nihil umquam vobis praecepi quin me periculis obtulerim, qui saepe aciem clipeo meo texi. ne infregeritis in manibus meis palmam qua 30 Herculem Liberumque patrem, si invidia afuerit, aequabo. date hoc precibus meis et tandem obstinatum silentium rumpite. ubi est ille clamor, alacritatis vestrae index? ubi ille meorum Macedonum vultus? non agnosco vos, milites, nec agnosci videor a vobis. surdas iamdudum 31 aures pulso; aversos animos et infractos excitare conor.' cumque illi in terram demissis capitibus tacere perseverarent, 'nescio quid' inquit 'in vos imprudens deliqui, quod me ne intueri quidem vultis. in solitudine 32 mihi videor esse. nemo respondet, nemo saltem negat. quos alloquor? quid autem postulo? vestram gloriam et magnitudinem vindicamus. ubi sunt illi quorum certamen paulo ante vidi contendentium qui potissimum

vulnerati regis corpus exciperent? desertus, destitutus sum; hostibus deditus. sed solus quoque ire perseverabo. Scythae Bactrianique erunt mecum, hostes paulo ante nunc milites nostri. mori praestat quam precario imperatorem esse. ite reduces domos; ite deserto rege ovantes!'

ne sic quidem ulli militum vox exprimi potuit. stabant oribus in terram defixis lacrimisque manantibus. rex tandem, victus a militibus, redire constituit.

16. OVID: *Tristia* 1.3.1-26

cum subit illius tristissima noctis imago,
qua mihi supremum tempus in urbe fuit,
cum repeto noctem, qua tot mihi cara reliqui,
labitur ex oculis nunc quoque gutta meis.
5 iam prope lux aderat, qua me discedere Caesar
finibus extremae iusserat Ausoniae.
nec spatium nec mens fuerat satis apta parandi:
torpuerant longa pectora nostra mora.
non mihi servorum, comites non cura legendi,
10 non aptae profugo vestis opisve fuit.
non aliter stupui, quam qui Iovis ignibus ictus
vivit et est vitae nescius ipse suae.
ut tamen hanc animi nubem dolor ipse removit,
et tandem sensus convaluere mei,
15 alloquor extremum maestos abiturus amicos,
qui modo de multis unus et alter erat.
uxor amans flentem flens acrius ipsa tenebat,
imbre per indignas usque cadente genas.
nata procul Libycis aberat diversa sub oris,
20 nec poterat fati certior esse mei.
quocumque aspiceres, luctus gemitusque sonabant,
formaque non taciti funeris intus erat.
femina virque meo, pueri quoque funere maerent,
inque domo lacrimas angulus omnis habet.
25 si licet exemplis in parvis grandibus uti,
haec facies Troiae, cum caperetur, erat.

17. CICERO: *de Oratore* 2.51-54

Graeci quoque ipsi sic initio scriptitarunt, ut noster Cato, ut Pictor, 52 ut Piso; erat enim historia nihil aliud nisi annalium confectio, cuius rei memoriaeque publicae retinendae causa ab initio rerum Romanarum usque ad P. Mucium pontificem maximum res omnis singulorum annorum mandabat litteris pontifex maximus referebatque in album et proponebat tabulam domi, potestas ut esset populo cognoscendi, eique 53 etiam nunc annales maximi nominantur. hanc similitudinem scribendi multi secuti sunt, qui sine ullis ornamentis monumenta solum temporum, hominum, locorum gestarumque rerum reliquerunt; itaque qualis apud Graecos Pherecydes, Hellanicus, Acusilas fuit aliique permulti, talis noster Cato et Pictor et Piso, qui neque tenent, quibus rebus ornetur oratio – modo enim huc ista sunt importata – et, dum intellegatur quid

54 dicant, unam dicendi laudem putant esse brevitatem. paulum se erexit et addidit maiorem historiae sonum vocis vir optimus, Crassi familiaris, Antipater; ceteri non exornatores rerum, sed tantum modo narratores fuerunt.

18. HORACE: *Ars Poetica* 156-176

aetatis cuiusque notandi sunt tibi mores,
mobilibusque decor naturis dandus et annis.
reddere qui voces iam scit puer et pede certo
signat humum, gestit paribus colludere, et iram
160 colligit ac ponit temere et mutatur in horas.
imberbus iuvenis, tandem custode remoto,
gaudet equis canibusque et aprici gramine campi,
cereus in vitium flecti, monitoribus asper,
utilium tardus provisor, prodigus aeris,
165 sublimis cupidusque et amata relinquere pernix.
conversis studiis aetas animusque virilis
quaerit opes et amicitias, inservit honori,
commisisse cavet quod mox mutare laboret.
multa senem circumveniunt incommoda, vel quod
170 quaerit et inventis miser abstinet ac timet uti,
vel quod res omnis timide gelideque ministrat,
dilator, spe longus, iners, avidusque futuri,
difficilis, querulus, laudator temporis acti
se puero, castigator censorque minorum.
175 multa ferunt anni venientes commoda secum,
multa recedentes adimunt.

19. CAESAR: *de Bello Gallico* 1.39

1 dum paucos dies ad Vesontionem rei frumentariae commeatusque causa moratur, ex percontatione nostrorum vocibusque Gallorum ac mercatorum, qui ingenti magnitudine corporum Germanos, incredibili virtute atque exercitatione in armis esse praedicabant (saepe numero sese cum his congressos ne vultum quidem atque aciem oculorum dicebant ferre potuisse), tantus subito timor omnem exercitum occupavit ut non

2 mediocriter omnium mentis animosque perturbaret. hic primum ortus est a tribunis militum, praefectis, reliquisque qui ex urbe amicitiae causa

3 Caesarem secuti non magnum in re militari usum habebant; quorum alius alia causa illata quam sibi ad proficiscendum necessariam esse

diceret, petebat ut eius voluntate discedere liceret; non nulli pudore
4 adducti, ut timoris suspicionem vitarent, remanebant. hi neque vultum
fingere neque interdum lacrimas tenere poterant: abditi in tabernaculis
aut suum fatum querebantur aut cum familiaribus suis commune
5 periculum miserabantur. vulgo totis castris testamenta obsignabantur.
horum vocibus ac timore paulatim etiam ei qui magnum in castris usum
habebant, milites centurionesque quique equitatui praeerant, perturba-
6 bantur. qui se ex his minus timidos existimari volebant, non se hostem
vereri sed angustias itineris et magnitudinem silvarum quae inter-
cederent inter ipsos atque Ariovistum, aut rem frumentariam, ut satis
7 commode supportari posset, timere dicebant. non nulli etiam Caesari
nuntiarant, cum castra moveri ac signa ferri iussisset, non fore dicto
audientis milites neque propter timorem signa laturos.

20. CATULLUS 45

Acmen Septimius suos amores
tenens in gremio 'mea' inquit 'Acme,
ni te perdite amo atque amare porro
omnes sum assidue paratus annos,
5 quantum qui pote plurimum perire,
solus in Libya Indiaque tosta
caesio veniam obvius leoni.'
hoc ut dixit, Amor sinistra ut ante
dextra sternuit approbationem.
10 at Acme leviter caput reflectens
et dulcis pueri ebrios ocellos
illo purpureo ore suaviata,
'sic', inquit 'mea vita Septimille,
huic uni domino usque serviamus,
15 ut multo mihi maior acriorque
ignis mollibus ardet in medullis.'
hoc ut dixit, Amor sinistra ut ante
dextra sternuit approbationem.
nunc ab auspicio bono profecti
20 mutuis animis amant amantur.
unam Septimius misellus Acmen
mavult quam Syrias Britanniasque:
uno in Septimio fidelis Acme
facit delicias libidinesque.
25 quis ullos homines beatiores
vidit, quis Venerem auspicatiorem?

21. CICERO: *de Re Publica* 2.10-11

10 qui potuit igitur divinius et utilitates complecti maritimas Romulus et
vitia vitare quam quod urbem perennis amnis et aequabilis et in mare

late influentis posuit in ripa? quo posset urbs et accipere ex mari quo egeret et reddere quo redundaret, eodemque ut flumine res ad victum cultumque maxime necessarias non solum mari asportaret sed etiam invectas acciperet ex terra, ut mihi iam tum divinasse ille videatur hanc urbem sedem aliquando et domum summo esse imperio praebituram; nam hanc rerum tantam potentiam non ferme facilius ulla in parte
11 Italiae posita urbs tenere potuisset. urbis autem ipsius nativa praesidia quis est tam neglegens qui non habeat animo notata planeque cognita? cuius is est tractus ductusque muri cum Romuli tum etiam reliquorum regum sapientia definitus ex omni parte arduis praeruptisque montibus ut unus aditus, qui esset inter Esquilinum Quirinalemque montem, maximo aggere obiecto fossa cingeretur vastissima, atque ut ita munita arx circumiectu arduo et quasi circumciso saxo niteretur, ut etiam in illa tempestate horribili Gallici adventus incolumis atque intacta permanserit.

22. LUCRETIUS: *de Rerum Natura* 2.1-19

suave, mari magno turbantibus aequora ventis,
e terra magnum alterius spectare laborem;
non quia vexari quemquamst iucunda voluptas,
sed quibus ipse malis careas quia cernere suave est.
5 suave etiam belli certamina magna tueri
per campos instructa tua sine parte pericli.
sed nil dulcius est, bene quam munita tenere
edita doctrina sapientum templa serena,
despicere unde queas alios passimque videre
10 errare atque viam palantis quaerere vitae,
certare ingenio, contendere nobilitate,
noctes atque dies niti praestante labore
ad summas emergere opes rerumque potiri.
o miseras hominum mentis, o pectora caeca!
15 qualibus in tenebris vitae quantisque periclis
degitur hoc aevi quodcumquest! nonne videre
nil aliud sibi naturam latrare, nisi utqui
corpore seiunctus dolor absit, mente fruatur
iucundo sensu cura semota metuque?

23. CORNELIUS NEPOS: *Prologue* 1-6

1 non dubito fore plerosque, Attice, qui hoc genus scripturae leve et non satis dignum summorum virorum personis iudicent, cum relatum legent, quis musicam docuerit Epaminondam, aut in eius virtutibus
2 commemorari, saltasse eum commode scienterque tibiis cantasse. sed ei erunt fere, qui expertes litterarum Graecarum nihil rectum, nisi quod
3 ipsorum moribus conveniat, putabunt. hi si didicerint non eadem omnibus esse honesta atque turpia, sed omnia maiorum institutis iudicari, non

admirabuntur nos in Graiorum virtutibus exponendis mores eorum
4 secutos. neque enim Cimoni fuit turpe, Atheniensium summo viro, sororem germanam habere in matrimonio, quippe cum cives eius eodem uterentur instituto. at id quidem nostris moribus nefas habetur. laudi in Graecia ducitur adulescentulis quam plurimos habuisse amatores. nulla Lacedaemoni vidua tam est nobilis, quae non ad cenam eat
5 mercede conducta. magnis in laudibus tota fere fuit Graecia victorem Olympiae citari, in scaenam vero prodire ac populo esse spectaculo nemini in eisdem gentibus fuit turpitudini. quae omnia apud nos partim
6 infamia, partim humilia atque ab honestate remota ponuntur. contra ea pleraque nostris moribus sunt decora, quae apud illos turpia putantur.

24. OVID: *Tristia* 4.10.19-26 and 41-56

at mihi iam puero caelestia sacra placebant,
20 inque suum furtim Musa trahebat opus.
saepe pater dixit 'studium quid inutile temptas?
Maeonides nullas ipse reliquit opes.'
motus eram dictis, totoque Helicone relicto
scribere temptabam verba soluta modis.
25 sponte sua carmen numeros veniebat ad aptos,
et quod temptabam dicere versus erat.

temporis illius colui fovique poetas,
quotque aderant vates, rebar adesse deos.
saepe suas volucres legit mihi grandior aevo,
quaeque nocet serpens, quae iuvat herba, Macer,
45 saepe suos solitus recitare Propertius ignes,
iure sodalicii, quo mihi iunctus erat.
Ponticus heroo, Bassus quoque clarus iambis
dulcia convictus membra fuere mei.
et tenuit nostras numerosus Horatius aures,
50 dum ferit Ausonia carmina culta lyra.
Vergilium vidi tantum: nec avara Tibullo
tempus amicitiae fata dedere meae.
successor fuit hic tibi, Galle, Propertius illi;
quartus ab his serie temporis ipse fui.
55 utque ego maiores, sic me coluere minores,
notaque non tarde facta Thalia mea est.

25. CICERO: *ad Atticum* 2.21.2-4

Scr. Romae paulo post viii Kal. Sext. an. 695 (59 B.C.).

2 equidem sperabam, ut saepe etiam loqui tecum solebam, sic orbem rei publicae esse conversum ut vix sonitum audire, vix impressam

orbitam videre possemus; et fuisset ita, si homines transitum tempestatis exspectare potuissent; sed cum diu occulte suspirassent, postea iam gemere, ad extremum vero loqui omnes et clamare coeperunt.

3 itaque ille noster amicus insolens infamiae, semper in laude versatus, circumfluens gloria, deformatus corpore, fractus animo, quo se conferat nescit; progressum praecipitem, inconstantem reditum videt; bonos inimicos habet, improbos ipsos non amicos. ac vide mollitiem animi: non tenui lacrimas cum illum a. d. VIII Kal. Sext. vidi de edictis Bibuli contionantem; qui antea solitus esset iactare se magnificentissimo illo in loco summo cum amore populi, cunctis faventibus, ut ille tum humilis, ut demissus erat, ut ipse etiam sibi, non iis solum qui aderant, displicebat!
4 o spectaculum uni Crasso iucundum, ceteris non item! nam quia deciderat ex astris, lapsus potius quam progressus videbatur, et, ut Apelles si Venerem, aut Protogenes si Ialysum illum suum caeno oblitum videret, magnum, credo, acciperet dolorem, sic ego hunc omnibus a me pictum et politum artis coloribus subito deformatum non sine magno dolore vidi.

26. CATULLUS 68.57-76

qualis in aerii perlucens vertice montis
  rivus muscoso prosilit e lapide,
qui cum de prona praeceps est valle volutus,
60 per medium densi transit iter populi,
dulce viatori lasso in sudore levamen,
  cum gravis exustos aestus hiulcat agros,
ac, velut in nigro iactatis turbine nautis
  lenius aspirans aura secunda venit
65 iam prece Pollucis, iam Castoris implorata,
  tale fuit nobis Allius auxilium.
is clausum lato patefecit limite campum,
  isque domum nobis isque dedit dominae,
ad quam communes exerceremus amores.
70 quo mea se molli candida diva pede
intulit et trito fulgentem in limine plantam
  innixa arguta constituit solea,
coniugis ut quondam flagrans advenit amore
  Protesilaeam Laodamia domum
75 inceptam frustra, nondum cum sanguine sacro
  hostia caelestis pacificasset eros.

27. LIVY 38.51.6-14

citatus reus magno agmine amicorum clientiumque per mediam con-
7 tionem ad rostra subiit silentioque facto 'hoc' inquit 'die, tribuni plebis vosque Quirites, cum Hannibale et Carthaginiensibus signis collatis in

8 Africa bene ac feliciter pugnavi. itaque, cum hodie litibus et iurgiis supersederi aequum sit, ego hinc extemplo in Capitolium ad Iovem optimum maximum Iunonemque et Minervam ceterosque deos qui Capitolio 9 atque arci praesident salutandos ibo, hisque gratias agam, quod mihi et hoc ipso die et saepe alias egregie gerendae rei publicae mentem 10 facultatemque dederunt. vestrum quoque quibus commodum est, 11 Quirites, ite mecum, et orate deos ut mei similes principes habeatis; ita si ab annis XVII ad senectutem semper vos aetatem meam honoribus vestris anteistis, ego vestros honores rebus gerendis praecessi.' ab rostris 12 in Capitolium ascendit. simul se universa contio avertit et secuta Scipionem est, adeo ut postremo scribae viatoresque tribunos relinquerent, nec cum eis praeter servilem comitatum et praeconem qui 13 reum ex rostris citabat quisquam esset. Scipio non in Capitolio modo 14 sed per totam urbem omnia templa deum cum populo Romano circumiit. celebratior is prope dies favore hominum et aestimatione vera magnitudinis eius fuit quam quo triumphans de Syphace rege et Carthaginiensibus urbem est invectus.

28. LUCRETIUS: *de Rerum Natura* 3.1-17

e tenebris tantis tam clarum extollere lumen
qui primus potuisti illustrans commoda vitae,
te sequor, o Graiae gentis decus, inque tuis nunc
ficta pedum pono pressis vestigia signis,
5 non ita certandi cupidus quam propter amorem
quod te imitari aveo; quid enim contendat hirundo
cycnis, aut quidnam tremulis facere artubus haedi
consimile in cursu possint et fortis equi vis?
tu pater es, rerum inventor, tu patria nobis
10 suppeditas praecepta, tuisque ex, inclute, chartis,
floriferis ut apes in saltibus omnia libant,
omnia nos itidem depascimur aurea dicta,
aurea, perpetua semper dignissima vita.
nam simul ac ratio tua coepit vociferari
15 naturam rerum, divina mente coorta,
diffugiunt animi terrores, moenia mundi
discedunt, totum video per inane geri res.

29. CICERO: *Tusculanae Disputationes* 2.37-38

37 militia vero – nostram dico, non Spartiatarum, quorum procedit agmen ad tibiam nec adhibetur ulla sine anapaestis pedibus hortatio – nostri exercitus primum unde nomen habeant vides, deinde qui labor et quantus agminis: ferre plus dimidiati mensis cibaria, ferre si quid ad usum velint, ferre vallum. nam scutum, gladium, galeam in onere nostri milites non plus numerant quam umeros, lacertos, manus. arma enim membra militis esse dicunt; quae quidem ita geruntur apte, ut,

si usus fuerit, abiectis oneribus expeditis armis ut membris pugnare possint. quid? exercitatio legionum, quid? ille cursus, concursus, clamor quanti laboris est! ex hoc ille animus in proeliis paratus ad vulnera.
38 adduc pari animo inexercitatum militem: mulier videbitur. cur tantum interest inter novum et veterem exercitum quantum experti sumus? aetas tironum plerumque melior; sed ferre laborem, contemnere vulnus consuetudo docet.

30. VERGIL: *Aeneid* 10.803-820

ac velut effusa si quando grandine nimbi
praecipitant, omnis campis diffugit arator
805 omnis et agricola, et tuta latet arce viator
aut amnis ripis aut alti fornice saxi,
dum pluit in terris, ut possint sole reducto
exercere diem: sic obrutus undique telis
Aeneas nubem belli, dum detonet omnis,
810 sustinet et Lausum increpitat Lausoque minatur:
'quo, moriture, ruis maioraque viribus audes?
fallit te incautum pietas tua.' nec minus ille
exsultat demens, saevae iamque altius irae
Dardanio surgunt ductori, extremaque Lauso
815 Parcae fila legunt. validum namque exigit ensem
per medium Aeneas iuvenem totumque recondit;
transiit et parmam mucro, levia arma minacis,
et tunicam molli mater quam neverat auro,
implevitque sinum sanguis; tum vita per auras
820 concessit maesta ad manis corpusque reliquit.

31. SALLUST: *Bellum Jugurthinum* 12.1-6

1 primo conventu quem ab regulis factum supra memoravi propter dissensionem placuerat dividi thesauros finisque imperi singulis constitui.
2 itaque tempus ad utramque rem decernitur, sed maturius ad pecuniam distribuendam. reguli interea in loca propinqua thesauris alius alio
3 concessere. sed Hiempsal in oppido Thirmida forte eius domo utebatur qui, proxumus lictor Iugurthae, carus acceptusque ei semper fuerat. quem ille casu ministrum oblatum promissis onerat impellitque uti tamquam suam visens domum eat, portarum clavis adulterinas paret – nam verae ad Hiempsalem referebantur – ceterum, ubi res
4 postularet, se ipsum cum magna manu venturum. Numida mandata brevi conficit, atque, uti doctus erat, noctu Iugurthae milites introducit.
5 qui postquam in aedis irrupere, divorsi regem quaerere; dormientis alios, alios occursantis interficere, scrutari loca abdita, clausa effringere, strepitu et tumultu omnia miscere; cum interim Hiempsal reperitur occultans sese tugurio mulieris ancillae, quo initio pavidus et ignarus loci
6 perfugerat. Numidiae caput eius, uti iussi erant, ad Iugurtham referunt.

32. CLAUDIAN: *Shorter Poems* 20

felix, qui propriis aevum transegit in arvis,
  ipsa domus puerum quem videt, ipsa senem,
qui baculo nitens in qua reptavit harena
  unius numerat saecula longa casae.
5 illum non vario traxit fortuna tumultu,
  nec bibit ignotas mobilis hospes aquas.
non freta mercator tremuit, non classica miles,
  non rauci lites pertulit ille fori.
indocilis rerum, vicinae nescius urbis
10 aspectu fruitur liberiore poli.
frugibus alternis, non consule computat annum;
  autumnum pomis, ver sibi flore notat.
idem condit ager soles idemque reducit,
  metiturque suo rusticus orbe diem,
15 ingentem meminit parvo qui germine quercum
  aequaevumque videt consenuisse nemus,
proxima cui nigris Verona remotior Indis
  Benacumque putat litora Rubra lacum.
sed tamen indomitae vires firmisque lacertis
20 aetas robustum tertia cernit avum.
erret et extremos alter scrutetur Hiberos:
  plus habet hic vitae, plus habet ille viae.

33. CICERO: *ad Familiares* 16.15 and 13.20

Scr. Leucade vii Id. Nov. an. 704 (50 B.C.).

TULLIUS TIRONI S.

16.15.1 Aegypta ad me venit pridie Id. Apr. is etsi mihi nuntiavit te plane febri carere et belle habere, tamen, quod negavit te potuisse ad me scribere, curam mi attulit, et eo magis, quod Hermia, quem eodem die venire oportuerat, non venerat. incredibili sum sollicitudine de tua valetudine; qua si me liberaris, ego te omni cura liberabo. plura scriberem, si iam putarem libenter te legere posse. ingenium tuum, quod ego maximi facio, confer ad te mihi tibique conservandum; cura te etiam atque etiam diligenter. vale.

2 scripta iam epistula Hermia venit. accepi tuam epistulam vacillantibus litterulis, nec mirum tam gravi morbo. ego ad te Aegyptam misi, quod nec inhumanus est et te visus est mihi diligere, ut is tecum esset, et cum eo cocum, quo uterere. vale.

Scr. Romae, ut videtur, an. 708 (46 B.C.).

CICERO SERVIO S.

13.20 Asclapone Patrensi medico utor familiariter, eiusque cum consuetudo mihi iucunda fuit tum ars etiam, quam sum expertus in valetudine meorum; in qua mihi cum ipsa scientia tum etiam fidelitate benevolentiaque satis fecit. hunc igitur tibi commendo et a te peto ut des operam ut intellegat diligenter me scripsisse de sese meamque commendationem usui magno sibi fuisse. erit id mihi vehementer gratum. vale.

34. VERGIL: *Georgics* 1.489-508

ergo inter sese paribus concurrere telis
490 Romanas acies iterum videre Philippi;
nec fuit indignum superis bis sanguine nostro
Emathiam et latos Haemi pinguescere campos.
scilicet et tempus veniet, cum finibus illis
agricola incurvo terram molitus aratro
495 exesa inveniet scabra robigine pila,
aut gravibus rastris galeas pulsabit inanis
grandiaque effossis mirabitur ossa sepulcris.
di patrii Indigetes et Romule Vestaque mater,
quae Tuscum Tiberim et Romana Palatia servas,
500 hunc saltem everso iuvenem succurrere saeclo
ne prohibete. satis iam pridem sanguine nostro
Laomedonteae luimus periuria Troiae;
iam pridem nobis caeli te regia, Caesar,
invidet atque hominum queritur curare triumphos,
505 quippe ubi fas versum atque nefas: tot bella per orbem,
tam multae scelerum facies, non ullus aratro
dignus honos, squalent abductis arva colonis,
et curvae rigidum falces conflantur in ensem.

35. CICERO: *pro Caelio* 12-13

habuit enim ille, sicuti meminisse vos arbitror, permulta maximarum non expressa signa sed adumbrata virtutum. utebatur hominibus improbis multis; et quidem optimis se viris deditum esse simulabat. erant apud illum illecebrae libidinum multae; erant etiam industriae quidam stimuli ac laboris. flagrabant vitia libidinis apud illum; vigebant etiam studia rei militaris. neque ego umquam fuisse tale monstrum in terris ullum puto, tam ex contrariis diversisque atque inter se pugnantibus naturae studiis cupiditatibusque conflatum. (13) quis clarioribus viris quodam tempore iucundior, quis turpioribus coniunctior? quis civis meliorum partium aliquando, quis taetrior hostis huic civitati? quis in voluptatibus inquinatior, quis in laboribus patientior? quis in rapacitate avarior, quis in largitione effusior? illa vero, iudices, in illo homine admirabilia fuerunt, comprehendere multos amicitia, tueri obsequio, cum omnibus communicare quod habebat, servire temporibus suorum omnium pecunia, gratia, labore corporis, scelere etiam, si opus esset, et audacia, versare suam naturam et regere ad tempus atque huc et illuc torquere ac flectere, cum tristibus severe, cum remissis iucunde, cum senibus graviter, cum iuventute comiter, cum facinerosis audaciter, cum libidinosis luxuriose vivere.

36. CATULLUS 46 and 31

46 iam ver egelidos refert tepores,
iam caeli furor aequinoctialis
iucundis Zephyri silescit aureis.
linquantur Phrygii, Catulle, campi
5 Nicaeaeque ager uber aestuosae:
ad claras Asiae volemus urbes.
iam mens praetrepidans avet vagari,
iam laeti studio pedes vigescunt.
o dulces comitum valete coetus,
10 longe quos simul a domo profectos
diversae varie viae reportant.

paene insularum, Sirmio, insularumque
ocelle, quascumque in liquentibus stagnis
marique vasto fert uterque Neptunus,
quam te libenter quamque laetus inviso,
5 vix mi ipse credens Thyniam atque Bithynos
liquisse campos et videre te in tuto.
o quid solutis est beatius curis,
cum mens onus reponit, ac peregrino
labore fessi venimus larem ad nostrum,
10 desideratoque acquiescimus lecto?
hoc est quod unum est pro laboribus tantis.
salve, o venusta Sirmio, atque ero gaude
gaudente, vosque, o Lydiae lacus undae,
ridete quidquid est domi cachinnorum.

37. SALLUST: *Bellum Catilinae* 5.1-8

1 Lucius Catilina, nobili genere natus, fuit magna vi et animi et
2 corporis, sed ingenio malo pravoque. huic ab adulescentia bella intestina, caedes, rapinae, discordia civilis grata fuere, ibique iuventutem
3 suam exercuit. corpus patiens inediae, algoris, vigiliae, supra quam
4 cuiquam credibile est. animus audax, subdolus, varius, cuius rei lubet simulator ac dissimulator; alieni appetens, sui profusus; ardens in cupidi-
5 tatibus; satis eloquentiae, sapientiae parum. vastus animus immoderata,
6 incredibilia, nimis alta semper cupiebat. hunc post dominationem L. Sullae lubido maxima invaserat rei publicae capiundae, neque id quibus modis assequeretur, dum sibi regnum pararet, quicquam pensi

7 habebat. agitabatur magis magisque in dies animus ferox inopia rei familiaris et conscientia scelerum, quae utraque eis artibus auxerat quas 8 supra memoravi. incitabant praeterea corrupti civitatis mores, quos pessuma ac divorsa inter se mala, luxuria atque avaritia, vexabant.

38. HORACE: *Epodes* 16.41-62

nos manet Oceanus circumvagus: arva, beata
petamus arva, divites et insulas,
reddit ubi Cererem tellus inarata quotannis
et imputata floret usque vinea,
45 germinat et numquam fallentis termes olivae,
suamque pulla ficus ornat arborem,
mella cava manant ex ilice, montibus altis
levis crepante lympha desilit pede.
illic iniussae veniunt ad mulctra capellae.
50 refertque tenta grex amicus ubera;
nec vespertinus circumgemit ursus ovile,
neque intumescit alta viperis humus:
pluraque felices mirabimur; ut neque largis
aquosus Eurus arva radat imbribus,
55 pinguia nec siccis urantur semina glaebis,
utrumque rege temperante caelitum.
non huc Argoo contendit remige pinus,
neque impudica Colchis intulit pedem;
non huc Sidonii torserunt cornua nautae
60 laboriosa nec cohors Ulixei:
nulla nocent pecori contagia, nullius astri
gregem aestuosa torret impotentia.

39. CURTIUS: *History of Alexander* 5.1.32-35

32 super arcem, vulgatum Graecorum fabulis miraculum, pensiles horti sunt, summam murorum altitudinem aequantes multarumque arborum 33 umbra et proceritate amoeni. saxo pilae, quae totum onus sustinent, instructae sunt; super pilas lapide quadrato solum stratum est, patiens terrae, quam altam iniciunt, et umoris, quo rigant terras; adeoque validas arbores sustinet moles, ut stipites earum VIII cubitorum spatium crassitudine aequent, in L pedum altitudinem emineant frugiferaeque 34 sint, ut si terra sua alerentur. et cum vetustas non opera solum manu facta, sed etiam ipsam naturam paulatim exedendo perimat, haec moles, quae tot arborum radicibus premitur tantique nemoris pondere onerata est, inviolata durat: quippe XX pedes lati parietes sustinent XI pedum intervallo distantes, ut procul visentibus silvae montibus suis imminere 35 videantur. Syriae regem Babylone regnantem hoc opus esse molitum memoriae proditum est, amore coniugis victum, quae desiderio nemorum silvarumque in campestribus locis virum compulit amoenitatem naturae genere huius operis imitari.

40. TERENCE: *Adelphi* 855-876

DEMEA

855 numquam ita quisquam bene subducta ratione ad vitam fuit
quin res aetas usu' semper aliquid apportet novi,
aliquid moneat: ut illa quae te scisse credas nescias,
et quae tibi putaris prima, in experiundo ut repudies.
quod nunc mi evenit; nam ego vitam duram quam vixi usque adhuc
860 iam decurso spatio omitto. id quam ob rem? re ipsa repperi
facilitate nil esse homini meliu' neque clementia.
id esse verum ex me atque ex fratre quoivis facilest noscere.
ill' suam semper egit vitam in otio, in conviviis,
clemens placidu', nulli laedere os, adridere omnibus;
865 sibi vixit, sibi sumptum fecit: omnes bene dicunt, amant.
ego ille agresti' saevo' tristi' parcu' truculentus tenax
duxi uxorem: quam ibi miseriam vidi! nati filii,
alia cura. heia autem, dum studeo illis ut quam plurumum
facerem, contrivi in quaerundo vitam atque aetatem meam:
870 nunc exacta aetate hoc fructi pro labore ab eis fero,
odium; ille alter sine labore patria potitur commoda.
illum amant, me fugitant; illi credunt consilia omnia,
illum diligunt, apud illum sunt ambo, ego desertu' sum;
illum ut vivat optant, meam autem mortem exspectant scilicet.
875 ita eos meo labore eductos maxumo hic fecit suos
paulo sumptu: miseriam omnem ego capio, hic potitur gaudia.

41. CICERO: *Brutus* 313-314 and 316

erat eo tempore in nobis summa gracilitas et infirmitas corporis, procerum et tenue collum: qui habitus et quae figura non procul abesse putatur a vitae periculo, si accedit labor et laterum magna contentio. eoque magis hoc eos quibus eram carus commovebat, quod omnia sine remissione, sine varietate, vi summa vocis et totius corporis contentione
314 dicebam. itaque cum me et amici et medici hortarentur ut causas agere desisterem, quodvis potius periculum mihi adeundum quam a sperata dicendi gloria discedendum putavi. sed cum censerem remissione et moderatione vocis et commutato genere dicendi me et periculum vitare posse et temperatius dicere, ut consuetudinem dicendi mutarem, ea causa mihi in Asiam proficiscendi fuit. itaque cum essem biennium versatus in causis et iam in foro celebratum meum nomen esset, Roma sum pro-
316 fectus . . . Rhodum veni meque ad eundem quem Romae audiveram Molonem applicavi cum actorem in veris causis scriptoremque praestantem tum in notandis animadvertendisque vitiis et in instituendo docendoque prudentissimum. is dedit operam, si modo id consequi potuit, ut nimis redundantis nos et supra fluentis iuvenili quadam dicendi impunitate et licentia reprimeret et quasi extra ripas diffluentis coerceret.

318 ita recepi me biennio post non modo exercitatior sed prope mutatus. nam et contentio nimia vocis resederat et quasi deferverat oratio lateribusque vires et corpori mediocris habitus accesserat.

42. CLAUDIAN: *de Raptu Proserpinae* 2.273-293

talibus ille ferox dictis fletuque decoro
vincitur et primi suspiria sensit amoris.
275 tunc ferrugineo lacrimas deterget amictu
et placida maestum solatur voce dolorem:
'desine funestis animum, Proserpina, curis
et vano vexare metu. maiora dabuntur
sceptra nec indigni taedas patiere mariti.
280 ille ego Saturni proles, cui machina rerum
servit, et immensum tendit per inane potestas.
amissum ne crede diem: sunt altera nobis
sidera, sunt orbes alii, lumenque videbis
purius Elysiumque magis mirabere solem
285 cultoresque pios; illic pretiosior aetas,
aurea progenies habitat, semperque tenemus
quod superi meruere semel. nec mollia desunt
prata tibi; zephyris illic melioribus halant
perpetui flores, quos nec tua protulit Henna.
290 est etiam lucis arbor praedives opacis,
fulgentes viridi ramos curvata metallo:
haec tibi sacra datur fortunatumque tenebis
autumnum et fulvis semper ditabere pomis.'

43. SALLUST: *Bellum Jugurthinum* 85.29-38

MARIUS

29 non possum fidei causa imagines neque triumphos aut consulatus maiorum meorum ostentare; at, si res postulet, hastas, vexillum, 30 phaleras, alia militaria dona, praeterea cicatrices advorso corpore. hae sunt meae imagines, haec nobilitas, non hereditate relicta, ut illa illis, sed quae ego meis plurumis laboribus et periculis quaesivi.

31 non sunt composita verba mea; parvi id facio. ipsa se virtus satis 32 ostendit; illis artificio opus est, ut turpia facta oratione tegant. neque litteras Graecas didici; parum placebat eas discere, quippe quae ad 33 virtutem doctoribus nihil profuerant. at illa multo optima rei publicae doctus sum: hostem ferire, praesidia agitare, nihil metuere nisi turpem famam, hiemem et aestatem iuxta pati, humi requiescere, eodem tempore 34 inopiam et laborem tolerare. his ego praeceptis milites hortabor; neque illos arte colam, me opulenter, neque gloriam meam, laborem illorum 35 faciam. hoc est utile, hoc civile imperium. namque cum tute per

mollitiem agas, exercitum supplicio cogere, id est dominum, non
36 imperatorem esse. haec atque talia maiores vostri faciundo seque remque
37 publicam celebravere. quis nobilitas freta, ipsa dissimilis moribus, nos
illorum aemulos contemnit, et omnis honores non ex merito, sed quasi
38 debitos a vobis repetit. ceterum homines superbissumi procul errant.
maiores eorum omnia quae licebat illis reliquere, divitias, imagines,
memoriam sui praeclaram; virtutem non reliquere, neque poterant: ea
sola neque datur dono neque accipitur.'

44. OVID: *Metamorphoses* 8.631-650

sed pia Baucis anus parilique aetate Philemon
illa sunt annis iuncti iuvenalibus, illa
consenuere casa paupertatemque fatendo
effecere levem nec iniqua mente ferendo;
635 nec refert, dominos illic famulosne requiras:
tota domus duo sunt, idem parentque iubentque.
ergo ubi caelicolae parvos tetigere penates
summissoque humiles intrarunt vertice postes,
membra senex posito iussit relevare sedili;
640 quo superiniecit textum rude sedula Baucis
inque foco tepidum cinerem dimovit et ignes
suscitat hesternos foliisque et cortice sicco
nutrit et ad flammas anima producit anili
multifidasque faces ramaliaque arida tecto
645 detulit et minuit parvoque admovit aeno,
quodque suus coniunx riguo collegerat horto,
truncat olus foliis; furca levat ille bicorni
sordida terga suis nigro pendentia tigno
servatoque diu resecat de tergore partem
650 exiguam sectamque domat ferventibus undis.

45. CICERO: *ad Familiares* 12.4

Scr. Romae circa Kal. Febr. an. 711 (43 B.C.)

CICERO CASSIO S.

1 vellem Id. Mart. me ad cenam invitasses; reliquiarum nihil fuisset.
nunc me reliquiae vestrae exercent et quidem praeter ceteros me hercule.
quamquam egregios consules habemus sed turpissimos consularis,
senatum fortem sed infimo quemque honore fortissimum; populo vero
nihil fortius, nihil melius Italiaque universa: nihil autem foedius
Philippo et Pisone legatis, nihil flagitiosius. qui cum essent missi ut
Antonio ex senatus sententia certas res nuntiarent, cum ille earum rerum
nulli paruisset, ultro ab illo ad nos intolerabilia postulata rettulerunt.

itaque ad nos concurritur factique iam in re salutari populares sumus.

2 sed tu quid ageres, quid acturus, ubi denique esses, nesciebam; fama nuntiabat te esse in Syria, auctor erat nemo. de Bruto, quo propius est, eo firmiora videntur esse quae nuntiantur. Dolabella valde vituperabatur ab hominibus non insulsis, quod tibi tam cito succederet, cum tu vixdum XXX dies in Syria fuisses. itaque constabat eum recipi in Syriam non oportere. summa laus et tua et Bruti est, quod exercitum praeter spem existimamini comparasse. scriberem plura, si rem causamque nossem; nunc quae scribo scribo ex opinione hominum atque fama. tuas litteras avide exspecto. vale.

46. HORACE: *Satires* 1.9.1-19

ibam forte via Sacra, sicut meus est mos,
nescio quid meditans nugarum, totus in illis.
accurrit quidam notus mihi nomine tantum,
arreptaque manu 'quid agis, dulcissime rerum?'
5 'suaviter, ut nunc est,' inquam, 'et cupio omnia quae vis.'
cum assectaretur, 'num quid vis?' occupo. at ille
'noris nos' inquit; 'docti sumus.' hic ego 'pluris
hoc' inquam 'mihi eris.' misere discedere quaerens,
ire modo ocius, interdum consistere, in aurem
10 dicere nescio quid puero, cum sudor ad imos
manaret talos. 'o te, Bolane, cerebri
felicem!' aiebam tacitus, cum quidlibet ille
garriret, vicos, urbem laudaret. ut illi
nil respondebam, 'misere cupis' inquit 'abire;
15 iamdudum video: sed nil agis: usque tenebo;
persequar hinc quo nunc iter est tibi.' 'nil opus est te
circumagi: quendam volo visere non tibi notum:
trans Tiberim longe cubat is, prope Caesaris hortos.'
'nil habeo quod agam et non sum piger: usque sequar te.'

47. TACITUS: *Annals* 15.62-63

simul lacrimas eorum modo sermone, modo intentior in modum coercentis ad firmitudinem revocat, rogitans ubi praecepta sapientiae, ubi tot per annos meditata ratio adversum imminentia? cui enim ignaram fuisse saevitiam Neronis? neque aliud superesse post matrem fratremque interfectos quam ut educatoris praeceptorisque necem adiceret.

63 ubi haec atque talia velut in commune disseruit, complectitur uxorem et paululum adversus praesentem fortitudinem mollitus rogat oratque temperaret dolori neu aeternum susciperet, sed in contemplatione vitae per virtutem actae desiderium mariti solaciis honestis toleraret. illa contra sibi quoque destinatam mortem asseverat manumque percussoris

exposcit. tum Seneca gloriae eius non adversus, simul amore, ne sibi unice dilectam ad iniurias relinqueret, 'vitae' inquit 'delenimenta monstraveram tibi, tu mortis decus mavis: non invidebo exemplo. sit huius tam fortis exitus constantia penes utrosque par, claritudinis plus in tuo fine.' post quae eodem ictu brachia ferro exsolvunt.

48. OVID: *Amores* 3.1.1-16 and 23-30

stat vetus et multos incaedua silva per annos;
   credibile est illi numen inesse loco.
fons sacer in medio speluncaque pumice pendens,
   et latere ex omni dulce queruntur aves.
5 hic ego dum spatior tectus nemoralibus umbris,
   quod mea, quaerebam, Musa moveret, opus;
venit odoratos elegia nexa capillos,
   et, puto, pes illi longior alter erat.
forma decens, vestis tenuissima, vultus amantis,
10   et pedibus vitium causa decoris erat.
venit et ingenti violenta tragoedia passu:
   fronte comae torva, palla iacebat humi;
laeva manus sceptrum late regale movebat,
   Lydius alta pedum vincla cothurnus erat;
15 et prior 'ecquis erit' dixit 'tibi finis amandi,
   o argumenti lente poeta tui?

tempus erat thyrso pulsum graviore moveri;
   cessatum satis est: incipe maius opus.
25 materia premis ingenium; cane facta virorum:
   "haec animo" dices "area digna meo est."
quod tenerae cantent lusit tua Musa puellae,
   primaque per numeros acta iuventa suos.
nunc habeam per te Romana tragoedia nomen:
30   implebit leges spiritus iste meas.'

49. CICERO: *in Verrem* 2.3.205-207

205 quid ad haec Hortensius? falsum esse crimen? hoc numquam dicet. non magnam hac ratione pecuniam captam? ne id quidem dicet. non iniuriam factam Siculis atque aratoribus? qui poterit dicere? quid igitur dicet? fecisse alios. quid est hoc? utrum crimini defensio an comitatus exsilio quaeritur? tu in hac re publica atque in hac hominum libidine et, ut adhuc habuit se status iudiciorum, etiam licentia, non ex iure, non ex aequitate, non ex lege, non ex eo quod oportuerit, non ex eo quod licuerit, sed ex eo quod aliqui fecerit, id quod reprehenditur
206 recte factum esse defendes? fecerunt alii quidem aliquam multa; cur in hoc uno crimine isto genere defensionis uteris? sunt quaedam omnino in te singularia, quae in nullum hominem alium dici neque convenire

possint, quaedam tibi cum multis communia. ergo, ut omittam tuos peculatus, ut ob ius dicendum pecunias acceptas, ut eius modi cetera quae forsitan alii quoque etiam fecerint, illud in quo te gravissime accusavi, quod ob iudicandam rem pecuniam accepisses, eadem ista ratione defendes, fecisse alios? ut ego assentiar orationi, defensionem tamen non probabo. potius enim te damnato ceteris angustior locus improbitatis defendendae relinquetur, quam te absoluto alii quod audacissime fecerunt recte fecisse existimentur.

207 lugent omnes provinciae, queruntur omnes liberi populi, regna denique etiam omnia de nostris cupiditatibus et iniuriis expostulant; locus intra Oceanum iam nullus est neque tam longinquus neque tam reconditus quo non per haec tempora nostrorum hominum libido iniquitasque pervaserit.

50. HORACE: *Satires* 1.6.54-64 and 71-78

nulla etenim mihi te fors obtulit: optimus olim
55 Vergilius, post hunc Varius, dixere quid essem.
ut veni coram, singultim pauca locutus,
infans namque pudor prohibebat plura profari,
non ego me claro natum patre, non ego circum
me Satureiano vectari rura caballo,
60 sed quod eram narro. respondes, ut tuus est mos,
pauca: abeo; et revocas nono post mense iubesque
esse in amicorum numero. magnum hoc ego duco
quod placui tibi, qui turpi secernis honestum,
non patre praeclaro sed vita et pectore puro.

causa fuit pater his, qui macro pauper agello
noluit in Flavi ludum me mittere, magni
quo pueri magnis e centurionibus orti,
laevo suspensi loculos tabulamque lacerto,
75 ibant octonos referentes Idibus aeris:
sed puerum est ausus Romam portare, docendum
artis quas doceat quivis eques atque senator
semet prognatos.

51. TACITUS: *Histories* 3.22-23

proelium tota nocte varium, anceps, atrox, his, rursus illis exitiabile. nihil animus aut manus, ne oculi quidem provisu iuvabant. eadem utraque acie arma, crebris interrogationibus notum pugnae signum, permixta vexilla, ut quisque globus capta ex hostibus huc vel illuc raptabat. urgebatur maxime septima legio, nuper a Galba conscripta. occisi VI primorum ordinum centuriones, abrepta quaedam signa: ipsam aquilam Atilius Verus primi pili centurio multa cum hostium strage et ad extremum moriens servaverat.

23 sustinuit labentem aciem Antonius accitis praetorianis. qui ubi excepere pugnam, pellunt hostem, dein pelluntur. namque Vitelliani tormenta in aggerem viae contulerant ut tela vacuo atque aperto excuterentur, dispersa primo et arbustis sine hostium noxa illisa. magnitudine eximia quintae decimae legionis ballista ingentibus saxis hostilem aciem proruebat. lateque cladem intulisset ni duo milites praeclarum facinus ausi, arreptis e strage scutis ignorati, vincla ac libramenta tormentorum abscidissent. statim confossi sunt eoque intercidere nomina: de facto haud ambigitur. neutro inclinaverat fortuna donec adulta nocte luna surgens ostenderet acies falleretque. sed Flavianis aequior a tergo; hinc maiores equorum virorumque umbrae, et falso, ut in corpora, ictu tela hostium citra cadebant: Vitelliani adverso lumine collucentes velut ex occulto iaculantibus incauti offerebantur.

52. TERENCE: *Heauton Timorumenos* 75-87, 93-95 and 117-118

CHREMES MENEDEMUS

75 *ME*: Chreme, tantumne ab re tuast oti tibi
aliena ut cures ea quae nil ad te attinent?
CH: homo sum: humani nil a me alienum puto.
vel me monere hoc vel percontari puta:
rectumst ego ut faciam; non est te ut deterream.
80 *ME*: mihi sic est usu'; tibi ut opu' factost face.
CH: an quoiquamst usus homini se ut cruciet?
ME: mihi.
CH: si quid laborist nollem. sed quid istuc malist?
quaeso, quid de te tantum meruisti?
ME: eheu!
ne lacruma atque istuc, quidquid est, fac me ut sciam:
85 ne retice, ne verere, crede inquam mihi:
aut consolando aut consilio aut re iuvero.
scire hoc vis?
CH: hac quidem causa qua dixi tibi.

CH: nunc loquere.
ME: filium unicum adulescentulum
habeo. ah quid dixi habere me? immo habui, Chreme;
95 nunc habeam necne incertumst.
CH: quid ita istuc?
ME: scies.

117 *ME*: in Asiam ad regem militatum abiit, Chreme.
CH: quid ais?
ME: clam me profectu' mensis tris abest.

53. LIVY 45.24.9-14

vos iudicatis, patres conscripti, sit Rhodus in terris an funditus
10 deleatur; non enim de bello deliberatis, patres conscripti, quod inferre potestis, gerere non potestis, cum nemo Rhodiorum arma adversus vos
11 sit laturus. si perseverabitis in ira, tempus a vobis petemus, quo hanc funestam legationem domum referamus; omnia libera capita, quidquid Rhodiorum virorum feminarum est, cum omni pecunia nostra naves
12 conscendemus, ac relictis penatibus publicis privatisque Romam veniemus et omni auro et argento, quidquid publici quidquid privati est, in comitio, in vestibulo curiae vestrae cumulato, corpora nostra coniugumque ac liberorum vestrae potestati permittemus, hic passuri
13 quodcumque patiendum erit: procul ab oculis nostris urbs nostra
14 diripiatur, incendatur; hostis Rhodios esse Romani iudicare possunt, facere non possunt; est enim et nostrum aliquod de nobis iudicium, quo numquam iudicabimus nos vestros hostis, nec quicquam hostile, etiam si omnia patiemur, faciemus.

54. CATULLUS 76.1-16

siqua recordanti benefacta priora voluptas
  est homini, cum se cogitat esse pium,
nec sanctam violasse fidem, nec foedere nullo
  divum ad fallendos numine abusum homines,
5 multa parata manent in longa aetate, Catulle,
  ex hoc ingrato gaudia amore tibi.
nam quaecumque homines bene cuiquam aut dicere possunt
  aut facere, haec a te dictaque factaque sunt.
omnia quae ingratae perierunt credita menti.
10   quare iam te cur amplius excrucies?
quin tu animo offirmas atque istinc teque reducis
  et dis invitis desinis esse miser?
difficile est longum subito deponere amorem,
  difficile est, verum hoc qua lubet efficias:
15 una salus haec est, hoc est tibi pervincendum,
  hoc facias, sive id non pote sive pote.

55. CICERO: *ad Familiares* 9.16.3-4

Scr. in Tusculano non post med. m. Quint. an. 708 (46 B.C.)

3 de illo autem, quem penes est omnis potestas, nihil video quod timeam, nisi, quod omnia sunt incerta, cum a iure discessum est, nec praestari quicquam potest quale futurum sit, quod positum est in alterius voluntate, ne dicam libidine. sed tamen eius ipsius nulla re a me offensus est animus; est enim adhibita in ea re ipsa summa a nobis moderatio.

ut enim olim arbitrabar esse meum libere loqui, cuius opera esset in civitate libertas, sic ea nunc amissa nihil loqui quod offendat aut illius aut eorum, qui ab illo diliguntur, voluntatem. effugere autem si velim non nullorum acute aut facete dictorum opinionem, fama ingeni mihi
4 sit abicienda; quod si possem, non recusarem. sed tamen ipse Caesar habet peracre iudicium, et, ut Servius, frater tuus, quem litteratissimum fuisse iudico, facile diceret: 'hic versus Plauti non est, hic est,' quod tritas auris haberet notandis generibus poetarum et consuetudine legendi, sic audio Caesarem, cum volumina iam confecerit *apophthegmatōn* si quod afferatur ad eum pro meo quod meum non sit reicere solere; quod eo nunc magis facit, quia vivunt mecum fere cotidie illius familiares. incidunt autem in sermone vario multa, quae fortasse illis, cum dixi, nec illitterata nec insulsa esse videantur; haec ad illum cum reliquis actis perferuntur; ita enim ipse mandavit. sic fit ut, si quid praeterea de me audiat, non audiendum putet.

56. AUSONIUS: *Ephemeris* 3.1-19

omnipotens, solo mentis mihi cognite cultu,
ignorate malis et nulli ignote piorum:
principio extremoque carens, antiquior aevo
quod fuit aut veniet: cuius formamque modumque
5 nec mens complecti poterit nec lingua profari:
cernere quem solus coramque audire iubentem
fas habet et patriam propter considere dextram
ipse opifex rerum, rebus causa ipse creandis,
ipse dei verbum, verbum deus, anticipator
10 mundi quem facturus erat, generatus in illo
tempore quo tempus nondum fuit, editus ante
quam iubar et rutilus caelum illustraret Eous,
quo sine nil actum, per quem facta omnia, cuius
in caelo solium, cui subdita terra sedenti
15 et mare et obscurae chaos impenetrabile noctis,
irrequies, cuncta ipse movens, vegetator inertum,
non genito genitore deus, qui fraude superbi
offensus populi gentes in regna vocavit,
stirpis adoptivae meliore propage colendus.

57. CAESAR: *de Bello Gallico* 7.20.3-11

3 tali modo accusatus ad haec respondit: quod castra movisset, factum inopia pabuli, etiam ipsis hortantibus; quod propius Romanos accessisset, persuasum loci opportunitate qui se ipsum munitione defenderet;
4 equitum vero operam neque in loco palustri desiderari debuisse et illic
5 fuisse utilem quo sint profecti. summam imperi se consulto nulli discedentem tradidisse, ne is multitudinis studio ad dimicandum

impelleretur; cui rei propter animi mollitiem studere omnis videret, quod
6 diutius laborem ferre non possent. Romani si casu intervenerint, fortunae, si alicuius indicio vocati, huic habendam gratiam, quod et paucitatem eorum ex loco superiore cognoscere et virtutem despicere potuerint, qui dimicare non ausi turpiter se in castra receperint.
7 imperium se ab Caesare per proditionem nullum desiderare, quod habere victoria posset quae iam esset sibi atque omnibus Gallis explorata: quin etiam ipsis remittere, si sibi magis honorem tribuere quam ab se
8 salutem accipere videantur. 'haec ut intellegatis,' inquit, 'a me sincere
9 pronuntiari, audite Romanos milites.' producit servos, quos in pabulatione paucis ante diebus exceperat et fame vinculisque
10 excruciaverat. hi iam ante edocti quae interrogati pronuntiarent, milites se esse legionarios dicunt; fame et inopia adductos clam ex castris
11 exisse, si quid frumenti aut pecoris in agris reperire possent; simili omnem exercitum inopia premi, nec iam vires sufficere cuiusquam nec ferre operis laborem posse; itaque statuisse imperatorem, si nihil in oppugnatione oppidi profecissent, triduo exercitum deducere.

58. PROPERTIUS 3.2.1-18

carminis interea nostri redeamus in orbem,
gaudeat in solito tacta puella sono.
Orphea detinuisse feras et concita dicunt
flumina Threicia sustinuisse lyra;
5 saxa Cithaeronis Thebas agitata per artem
sponte sua in muri membra coisse ferunt;
quin etiam, Polypheme, fera Galatea sub Aetna
ad tua rorantis carmina flexit equos:
miremur, nobis et Baccho et Apolline dextro,
10 turba puellarum si mea verba colit?
quod non Taenariis domus est mihi fulta columnis,
nec camera auratas inter eburna trabes,
nec mea Phaeacas aequant pomaria silvas,
non operosa rigat Marcius antra liquor;
15 at Musae comites et carmina cara legenti,
et defessa choris Calliopea meis.
fortunata, meo si qua es celebrata libello:
carmina erunt formae tot monumenta tuae.

59. TACITUS: *Annals* 1.17

postremo promptis iam et aliis seditionis ministris velut contionabundus interrogabat cur paucis centurionibus paucioribus tribunis in modum servorum oboedirent. quando ausuros exposcere remedia, nisi novum et nutantem adhuc principem precibus vel armis adirent? satis per tot annos ignavia peccatum, quod tricena aut quadragena stipendia senes et plerique truncato ex vulneribus corpore tolerent. ne dimissis quidem finem esse militiae, sed apud vexillum tendentis alio vocabulo eosdem labores perferre. ac si quis tot casus vita superaverit, trahi adhuc diversas in terras ubi per nomen agrorum uligines paludum vel inculta montium accipiant. enimvero militiam ipsam gravem, infructuosam: denis in diem assibus animam et corpus aestimari: hinc vestem arma tentoria, hinc saevitiam centurionum et vacationes munerum redimi. at hercule verbera et vulnera, duram hiemem, exercitas aestates, bellum atrox aut sterilem pacem sempiterna. nec aliud levamentum quam si certis sub legibus militia iniretur, ut singulos denarios mererent, sextus decimus stipendii annus finem afferret, ne ultra sub vexillis tenerentur, sed isdem in castris praemium pecunia solveretur. an praetorias cohortis, quae binos denarios acceperint, quae post sedecim annos penatibus suis reddantur, plus periculorum suscipere? non obtrectari a se urbanas excubias: sibi tamen apud horridas gentis e contuberniis hostem aspici.

60. PLAUTUS: *Trinummus* 520-541

STASIMUS PHILTO LESBONICUS

520 *ST*: per deos atque homines dico, ne tu illunc agrum
tuom siris umquam fieri neque gnati tui.
ei rei argumenta dicam.
PH: audire edepol lubet.
ST: primum omnium olim terra quom proscinditur,
in quincto quoque sulco moriuntur boves.
525 *PH*: apage!
ST: Accheruntis ostium in nostrost agro.
tum vinum priu' quam coctumst pendet putidum.
LE: consuadet homini, credo. etsi scelestus est,
at mi infidelis non est.
ST: audi cetera.
postid, frumenti quom alibi messis maxumast,
530 tribu' tantis illi minu' redit quam obseveris.
PH: em istic oportet obseri mores malos,
si in obserendo possint interfieri.
ST: neque umquam quisquamst quoius illic ager fuit
quin pessume ei res vorterit: quoium fuit,
535 alii exsulatum abierunt, alii emortui,
alii se suspendere. em nunc hic quoius est
ut ad incitas redactust!
PH: apage a me istum agrum!
ST: magis 'apage' dicas, si omnia a me audiveris.
nam fulguritae sunt alternae arbores:
540 sues moriuntur angina acerrume;
oves scabrae sunt, tam glabrae, em quam haecst manus.

61. CICERO: *Orator* 8-10

8 sed ego sic statuo, nihil esse in ullo genere tam pulchrum, quo non pulchrius id sit unde illud ut ex ore aliquo quasi imago exprimatur; quod neque oculis neque auribus neque ullo sensu percipi potest, cogitatione tantum et mente complectimur. itaque et Phidiae simulacris, quibus nihil in illo genere perfectius videmus, et eis picturis quas nominavi
9 cogitare tamen possumus pulchriora; nec vero ille artifex cum faceret Iovis formam aut Minervae, contemplabatur aliquem e quo similitudinem duceret, sed ipsius in mente insidebat species pulchritudinis eximia quaedam, quam intuens in eaque defixus ad illius similitudinem artem et manum dirigebat. ut igitur in formis et figuris est aliquid perfectum et excellens, cuius ad cogitatam speciem imitando referuntur eaque sub oculos ipsa cadit, sic perfectae eloquentiae speciem animo videmus,
10 effigiem auribus quaerimus. has rerum formas appellat *ideas* ille non intellegendi solum sed etiam dicendi gravissimus auctor et magister Plato, easque gigni negat et ait semper esse ac ratione et intellegentia contineri; cetera nasci occidere fluere labi nec diutius esse uno et eodem statu.

62. SENECA the younger: *Medea* 920-939

920 ex paelice utinam liberos hostis meus
aliquos haberet – quidquid ex illo tuum est,
Creusa peperit. placuit hoc poenae genus,
meritoque placuit: ultimum, agnosco, scelus
animo parandum est – liberi quondam mei,
925 vos pro paternis sceleribus poenas date.
cor pepulit horror, membra torpescunt gelu
pectusque tremuit. ira discessit loco
materque tota coniuge expulsa redit.
egone ut meorum liberum ac prolis meae
930 fundam cruorem? melius, a, demens furor!
incognitum istud facinus ac dirum nefas
a me quoque absit; quod scelus miseri luent?
scelus est Iason genitor et maius scelus
Medea mater – occidant, non sunt mei;
935 pereant, mei sunt. crimine et culpa carent,
sunt innocentes: fateor, et frater fuit.
quid, anime, titubas? ora quid lacrimae rigant
variamque nunc huc ira, nunc illuc amor
diducit? anceps aestus incertam rapit.

63. TACITUS: *Annals* 15.44

sed non ope humana, non largitionibus principis aut deum placamentis decedebat infamia quin iussum incendium crederetur. ergo abolendo rumori Nero subdidit reos et quaesitissimis poenis affecit quos per flagitia invisos vulgus Christianos appellabat. auctor nominis eius Christus Tiberio imperitante per procuratorem Pontium Pilatum supplicio affectus erat; repressaque in praesens exitiabilis superstitio rursum erumpebat, non modo per Iudaeam, originem eius mali, sed per urbem etiam quo cuncta undique atrocia aut pudenda confluunt celebranturque. igitur primum correpti qui fatebantur, deinde indicio eorum multitudo ingens haud proinde in crimine incendii quam odio humani generis convicti sunt. et pereuntibus addita ludibria, ut ferarum tergis contecti laniatu canum interirent, aut crucibus affixi aut flammandi, atque ubi defecisset dies in usum nocturni luminis urerentur. hortos suos ei spectaculo Nero obtulerat et circense ludicrum edebat, habitu aurigae permixtus plebi vel curriculo insistens. unde quamquam adversus sontis et novissima exempla meritos miseratio oriebatur, tamquam non utilitate publica sed in saevitiam unius absumerentur.

64. PROPERTIUS 4.1.1-20

hoc quodcumque vides, hospes, qua maxima Roma est,
 ante Phrygem Aenean collis et herba fuit;
atque ubi Navali stant sacra Palatia Phoebo,
 Evandri profugae procubuere boves.
5 fictilibus crevere deis haec aurea templa,
 nec fuit opprobrio facta sine arte casa;
Tarpeiusque pater nuda de rupe tonabat,
 et Tiberis nostris advena bubus erat.
qua gradibus domus ista Remi se sustulit, olim
10 unus erat fratrum maxima regna focus.
curia, praetexto quae nunc nitet alta senatu,
 pellitos habuit, rustica corda, patres.
bucina cogebat priscos ad verba Quiritis:
 centum illi in prato saepe senatus erat.
15 nec sinuosa cavo pendebant vela theatro,
 pulpita sollemnis non oluere crocos.
nulli cura fuit externos quaerere divos,
 cum tremeret patrio pendula turba sacro,
annuaque accenso celebrante Parilia faeno,
20 qualia nunc curto lustra novantur equo.

65. SENECA the younger: *Epistulae Morales* 36.9-12

mors nullum habet incommodum: esse enim debet aliquis cuius sit
10 incommodum. quod si tanta cupiditas te longioris aevi tenet, cogita nihil eorum quae ab oculis abeunt et in rerum naturam, ex qua prodierunt ac mox processura sunt, reconduntur, consumi. desinunt ista, non

pereunt. et mors, quam pertimescimus ac recusamus, intermittit vitam, non eripit; veniet iterum qui nos in lucem reponat dies, quem multi 11 recusarent, nisi oblitos reduceret. sed postea diligentius docebo omnia, quae videntur perire, mutari. aequo animo debet rediturus exire. observa orbem rerum in se remeantium: videbis nihil in hoc mundo exstingui, sed vicibus descendere ac surgere. aestas abiit, sed alter illam annus adducit. hiems cecidit, referent illam sui menses. solem nox obruit, sed ipsam statim dies abiget. stellarum iste decursus quicquid 12 praeteriit repetit: pars caeli levatur assidue, pars mergitur. denique finem faciam, si hoc unum adiecero, nec infantes nec pueros nec mente lapsos timere mortem, et esse turpissimum, si eam securitatem nobis ratio non praestat, ad quam stultitia perducit.

66. PLAUTUS: *Rudens* 571-585

CHARMIDES SCEPARNIO

CH: obsecro, hospes, da mihi aliquid ubi condormiscam loci.
SC: istic ubi vis condormisce; nemo prohibet, publicum est.
CH: at vides me ornatus ut sim vestimentis uvidis:
575 recipe me in tectum, da mihi vestimenti aliquid aridi
dum arescunt mea; in aliquo tibi gratiam referam loco.
SC: tegillum eccillud, mihi unum id aret; id si vis dabo:
eodem amictus, eodem tectus esse soleo, si pluit.
tu istaec mihi dato: exarescent faxo.
CH: eho an te paenitet,
in mari quod elavi, ni hic in terra iterum eluam?
580 *SC*: eluas tu anne exunguare ciccum non interduim.
tibi ego numquam quicquam credam nisi si accepto pignore.
tu vel suda vel peri algu vel tu aegrota vel vale.
barbarum hospitem mi in aedis nil moror. sat litiumst. –
CH: iamne abis? venalis illic ductitavit, quisquis est;
585 non est misericors. sed quid ego hic asto infelix uvidus?

67. LIVY 45.25.2-3 and CATO
(from A. GELLIUS: *Noctes Atticae* 6.3.14)

2 infestissimi Rhodiis erant qui consules praetoresve aut legati gesserant in Macedonia bellum. plurimum causam eorum adiuvit M. Porcius 3 Cato, qui asper ingenio tum lenem mitemque senatorem egit. non inseram simulacrum viri copiosi quae dixerit referendo: ipsius oratio scripta exstat, *Originum* quinto libro inclusa.

'scio solere plerisque hominibus rebus secundis atque prolixis atque prosperis animum excellere atque superbiam atque ferociam augescere atque crescere. quo mihi nunc magnae curae est, quod haec res tam secunde processit, ne quid in consulendo advorsi eveniat, quod nostras secundas res confutet, neve haec laetitia nimis luxuriose eveniat. advorsae res edomant et docent, quid opus siet facto, secundae res laetitia transvorsum trudere solent a recte consulendo atque intellegendo. quo maiore opere dico suadeoque, uti haec res aliquot dies proferatur, dum ex tanto gaudio in potestatem nostram redeamus.'

68. VERGIL: *Georgics* 2.490-512

490 felix qui potuit rerum cognoscere causas
atque metus omnis et inexorabile fatum
subiecit pedibus strepitumque Acherontis avari:
fortunatus et ille deos qui novit agrestis
Panaque Silvanumque senem Nymphasque sorores.
495 illum non populi fasces, non purpura regum
flexit et infidos agitans discordia fratres,
aut coniurato descendens Dacus ab Histro,
non res Romanae perituraque regna; neque ille
aut doluit miserans inopem aut invidit habenti.
500 quos rami fructus, quos ipsa volentia rura
sponte tulere sua, carpsit, nec ferrea iura
insanumque forum aut populi tabularia vidit.
sollicitant alii remis freta caeca, ruuntque
in ferrum, penetrant aulas et limina regum;
505 hic petit excidiis urbem miserosque penatis,
ut gemma bibat et Sarrano dormiat ostro;
condit opes alius defossoque incubat auro;
hic stupet attonitus rostris, hunc plausus hiantem
per cuneos geminatus enim plebisque patrumque
510 corripuit; gaudent perfusi sanguine fratrum,
exsilioque domos et dulcia limina mutant
atque alio patriam quaerunt sub sole iacentem.

69. CICERO: *in Verrem* 2.4.94-95

94 Herculis templum est apud Agrigentinos non longe a foro, sane sanctum apud illos et religiosum. ibi est ex aere simulacrum ipsius Herculis, quo non facile dixerim quicquam me vidisse pulchrius – tametsi non tam multum in istis rebus intellego quam multa vidi – usque eo, iudices, ut rictum eius ac mentum paulo sit attritius, quod in precibus et gratulationibus non solum id venerari verum etiam osculari solent. ad hoc templum, cum esset iste Agrigenti, duce Timarchide repente nocte intempesta servorum armatorum fit concursus atque impetus. clamor a vigilibus fanique custodibus tollitur; qui primo cum obsistere ac defendere conarentur, male mulcati clavis ac fustibus repelluntur. postea convulsis repagulis ecfractisque valvis demoliri signum ac

vectibus labefactare conantur. interea ex clamore fama tota urbe percrebruit expugnari deos patrios, non hostium adventu necopinato neque repentino praedonum impetu, sed ex domo atque ex cohorte
95 praetoria manum fugitivorum instructam armatamque venisse. nemo Agrigenti neque aetate tam affecta neque viribus tam infirmis fuit qui non illa nocte eo nuntio excitatus surrexerit, telumque quod cuique fors offerebat arripuerit. itaque brevi tempore ad fanum ex urbe tota concurritur. horam amplius iam in demoliendo signo permulti homines moliebantur; illud interea nulla lababat ex parte, cum alii vectibus subiectis conarentur commovere, alii deligatum omnibus membris rapere ad se funibus. ac repente Agrigentini concurrunt; fit magna lapidatio; dant sese in fugam istius praeclari imperatoris nocturni milites. duo tamen sigilla perparvula tollunt, ne omnino inanes ad istum praedonem religionum revertantur. numquam tam male est Siculis quin aliquid facete et commode dicant, velut in hac re aiebant in labores Herculis non minus hunc immanissimum verrem quam illum aprum Erymanthium referri oportere.

70. PLAUTUS: *Miles Gloriosus* 1-4 and 9-24

PYRGOPOLYNICES ARTOTROGUS

PY: curate ut splendor meo sit clupeo clarior
quam solis radii esse olim quom sudumst solent,
ut, ubi usus veniat, contra conserta manu
4 praestringat oculorum aciem in acie hostibus.

sed ubi Artotrogus hic est?
AR: stat propter virum
10 fortem atque fortunatum et forma regia,
tum bellatorem – Mars haud ausit dicere
neque aequiperare suas virtutes ad tuas.
PY: quemne ego servavi in campis Curculionieis,
ubi Bumbomachides Clutomestoridysarchides
15 erat imperator summus, Neptuni nepos?
AR: memini. nempe illum dicis cum armis aureis,
quoius tu legiones difflavisti spiritu,
quasi ventus folia aut peniculum tectorium.
PY: istuc quidem edepol nihil est.
AR: nihil hercule hoc quidemst
20 praeut alia dicam – quae tu numquam feceris.
peiiuriorem hoc hominem si quis viderit
aut gloriarum pleniorem quam illic est,
me sibi habeto, ego me mancupio dabo;
nisi unum, epityra estur insanum bene.

71. TACITUS: *Annals* 2.31-32

31 responsum est ut senatum rogaret. cingebatur interim milite domus, strepebant etiam in vestibulo ut audiri, ut aspici possent, cum Libo ipsis quas in novissimam voluptatem adhibuerat epulis excruciatus vocare percussorem, prensare servorum dextras, inserere gladium. atque illis, dum trepidant, dum refugiunt, evertentibus appositum cum mensa lumen, feralibus iam sibi tenebris duos ictus in viscera derexit. ad gemitum collabentis accurrere liberti, et caede visa miles abstitit. accusatio tamen apud patres asseveratione eadem peracta, iuravitque Tiberius petiturum se vitam quamvis nocenti, nisi voluntariam mortem properavisset.

32 bona inter accusatores dividuntur, et praeturae extra ordinem datae eis qui senatorii ordinis erant. tunc Cotta Messalinus, ne imago Libonis exequias posterorum comitaretur, censuit, Cn. Lentulus, ne quis Scribonius cognomentum Drusi assumeret.

72. VERGIL: *Eclogues* 9.30-50

LYCIDAS MOERIS

30 *LY*: sic tua Cyrneas fugiant examina taxos,
sic cutiso pastae distendant ubera vaccae;
incipe, si quid habes. et me fecere poetam
Pierides, sunt et mihi carmina, me quoque dicunt
vatem pastores, sed non ego credulus illis.
35 nam neque adhuc Vario videor nec dicere Cinna
digna sed argutos inter strepere anser olores.
MO: id quidem ago et tacitus, Lycida, mecum ipse voluto,
si valeam meminisse; neque est ignobile carmen.
'huc ades, o Galatea; quis est nam ludus in undis?
40 hic ver purpureum, varios hic flumina circum
fundit humus flores, hic candida populus antro
imminet et lentae texunt umbracula vites.
huc ades; insani feriant sine litora fluctus.'
quid quae te pura solum sub nocte canentem
45 audieram? numeros memini, si verba tenerem.
LY: 'Daphni, quid antiquos signorum suspicis ortus?
ecce Dionaei processit Caesaris astrum,
astrum quo segetes gauderent frugibus et quo
duceret apricis in collibus uva colorem.
50 insere, Daphni, piros; carpent tua poma nepotes.'

73. CICERO: *pro Sestio* 96-98

duo genera semper in hac civitate fuerunt eorum qui versari in re publica atque in ea se excellentius gerere studuerunt; quibus ex generibus alteri se popularis, alteri optimates et haberi et esse voluerunt. qui ea quae faciebant quaeque dicebant multitudini iucunda volebant esse, populares, qui autem ita se gerebant ut sua consilia optimo cuique probarent, optimates habebantur. quis ergo iste optimus quisque? numero, si quaeris, innumerabiles, neque enim aliter stare possemus; sunt principes consili publici, sunt qui eorum sectam sequuntur, sunt maximorum ordinum homines, quibus patet curia, sunt municipales rusticique Romani, sunt negoti gerentes, sunt etiam libertini optimates. numerus, ut dixi, huius generis late et varie diffusus est; sed genus universum, ut tollatur error, brevi circumscribi et definiri potest. omnes optimates sunt qui neque nocentes sunt nec natura improbi nec furiosi nec malis domesticis impediti. esto igitur ut ei sint, quam tu 'nationem' appellasti, qui et integri sunt et sani et bene de rebus domesticis constituti. horum qui voluntati, commodis, opinionibus in gubernanda re publica serviunt, defensores optimatium ipsique optimates gravissimi et clarissimi cives numerantur et principes civitatis. quid est igitur propositum his rei publicae gubernatoribus quod intueri et quo cursum suum derigere debeant? id quod est praestantissimum maximeque optabile omnibus sanis et bonis et beatis, cum dignitate otium. hoc qui volunt, omnes optimates, qui efficiunt, summi viri et conservatores civitatis putantur.

(97 and 98 are marginal section numbers at "probarent" and "quid est igitur" respectively.)

74. INSCRIPTION (*C.I.L.* 6.12652)

HOMONOEA ATIMETUS

HO: tu qui secura procedis mente, parumper
 siste gradum, quaeso, verbaque pauca lege.
illa ego, quae claris fueram praelata puellis,
 hoc Homonoea brevi condita sum tumulo,
5 cui formam Paphie, Charites tribuere decorem,
 quam Pallas cunctis artibus erudiit.
nondum bis denos aetas mea viderat annos,
 iniecere manus invida fata mihi.
nec pro me queror hoc: morte est mihi tristior ipsa
10 maeror Atimeti coniugis ille mei.

AT: sit tibi terra levis, mulier dignissima vita,
 quaeque tuis olim perfruerere bonis.
si pensare animas sinerent crudelia fata,
 et posset redimi morte aliena salus,
15 quantulacunque meae debentur tempora vitae,
 pensassem pro te, cara Homonoea, libens.
at nunc, quod possum, fugiam lucemque deosque,
 ut te matura per Styga morte sequar.

HO: parce tuam, coniunx, fletu quassare iuventam
20 fataque maerendo sollicitare mea.
nil prosunt lacrimae nec possunt fata moveri:
viximus, hic omnis exitus unus habet.
parce: ita non unquam similem experiare dolorem
et faveant votis numina cuncta tuis.
25 quodque mihi eripuit mors immatura iuventae,
id tibi victuro proroget ulterius.

75. CICERO: *de Re Publica* 2.7-8

7 est autem maritimis urbibus etiam quaedam corruptela ac demutatio morum; admiscentur enim novis sermonibus ac disciplinis et importantur non merces solum adventiciae sed etiam mores, ut nihil possit in patriis institutis manere integrum. iam qui incolunt eas urbes, non haerent in suis sedibus, sed volucri semper spe et cogitatione rapiuntur a domo longius, atque etiam cum manent corpore, animo tamen exulant et vagantur. nec vero ulla res magis labefactatam diu et Cathaginem et Corinthum pervertit aliquando quam hic error ac dissipatio civium, quod mercandi cupiditate et navigandi et agrorum et armorum cultum
8 reliquerant. multa etiam ad luxuriam invitamenta perniciosa civitatibus suppeditantur mari quae vel capiuntur vel importantur; atque habet etiam amoenitas ipsa vel sumptuosas vel desidiosas illecebras multas cupiditatum. et, quod de Corintho dixi, id haud scio an liceat de cuncta Graecia verissime dicere; nam et ipsa Peloponnesus fere tota in mari est.

76. VERGIL: *Aeneid* 9.51-68

'ecquis erit mecum, iuvenes, qui primus in hostem?
en,' ait et iaculum attorquens emittit in auras,
principium pugnae, et campo sese arduus infert.
clamorem excipiunt socii fremituque sequuntur
55 horrisono; Teucrum mirantur inertia corda,
non aequo dare se campo, non obvia ferre
arma viros, sed castra fovere. huc turbidus atque huc
lustrat equo muros aditumque per avia quaerit.
ac veluti pleno lupus insidiatus ovili
60 cum fremit ad caulas ventos perpessus et imbris
nocte super media; tuti sub matribus agni
balatum exercent, ille asper et improbus ira
saevit in absentis; collecta fatigat edendi
ex longo rabies et siccae sanguine fauces:
65 haud aliter Rutulo muros et castra tuenti
ignescunt irae, duris dolor ossibus ardet.
qua temptet ratione aditus, et quae via clausos
excutiat Teucros vallo atque effundat in aequum?

77. TACITUS: *Annals* 2.32-33

facta et de mathematicis magisque Italia pellendis senatus consulta; quorum e numero L. Pituanius saxo deiectus est, in P. Marcium consules extra portam Esquilinam, cum classicum canere iussissent, more prisco advertere.

33 proximo senatus die multa in luxum civitatis dicta a Q. Haterio consulari, Octavio Frontone praetura functo; decretumque ne vasa auro solida ministrandis cibis fierent, ne vestis serica viros foedaret. excessit Fronto ac postulavit modum argento, supellectili, familiae: erat quippe adhuc frequens senatoribus, si quid e re publica crederent, loco sententiae promere. contra Gallus Asinius disseruit: auctu imperii adolevisse etiam privatas opes, idque non novum, sed e vetustissimis moribus: aliam apud Fabricios, aliam apud Scipiones pecuniam; et cuncta ad rem publicam referri, qua tenui angustas civium domos, postquam eo magnificentiae venerit, gliscere singulos. neque in familia et argento quaeque ad usum parentur nimium aliquid aut modicum nisi ex fortuna possidentis.

78. VALERIUS FLACCUS: *Argonautica* 1.255-273

255 iamque aderat summo decurrens vertice Chiron,
clamantemque patri procul ostendebat Achillen.
ut puer ad notas erectum Pelea voces
vidit et ingenti tendentem brachia passu,
assiluit caraque diu cervice pependit.
260 illum nec valido spumantia pocula Baccho
sollicitant veteri nec conspicienda metallo
signa tenent; stupet in ducibus magnumque sonantes
haurit et Herculeo fert comminus ora leoni.
laetus at impliciti Peleus rapit oscula nati
265 suspiciensque polum 'placito si currere fluctu
Pelea vultis' ait 'ventosque optare ferentes,
hoc, superi, servate caput. tu cetera, Chiron,
da mihi. te parvus lituos et bella loquentem
miretur; sub te puerilia tela magistro
270 venator ferat et nostram festinet ad hastam.'
omnibus inde viae calor additus: ire per altum
magna mente volunt. Phrixi promittitur absens
vellus et auratis Argo reditura corymbis.

79. CICERO: *pro Flacco* 9-10

verum tamen hoc dico de toto genere Graecorum: tribuo illis litteras, do multarum artium disciplinam, non adimo sermonis leporem, ingeniorum acumen, dicendi copiam, denique etiam, si qua sibi alia

sumunt, non repugno; testimoniorum religionem et fidem numquam ista natio coluit, totiusque huiusce rei quae sit vis, quae auctoritas, quod
10 pondus, ignorant. unde illud est: 'da mihi testimonium mutuum'? num Gallorum, num Hispanorum putatur? totum istud Graecorum est, ut etiam qui Graece nesciunt hoc quibus verbis a Graecis dici soleat sciant. itaque videte quo vultu, qua confidentia dicant; tum intellegetis qua religione dicant. numquam nobis ad rogatum respondent, semper accusatori plus quam ad rogatum, numquam laborant quem ad modum probent quod dicunt, sed quem ad modum se explicent dicendo. iratus Flacco dixit M. Lurco quod, ut ipse aiebat, libertus erat eius turpi iudicio condemnatus. nihil dixit quod laederet eum, cum cuperet; impediebat enim religio; tamen id quod dixit quanto cum pudore, quo tremore et pallore dixit.

80. PROPERTIUS 3.3.1-4 and 13-26

visus eram molli recubans Heliconis in umbra,
   Bellerophontei qua fluit umor equi,
reges, Alba, tuos et regum facta tuorum,
4   tantum operis, nervis hiscere posse meis;

cum me Castalia speculans ex arbore Phoebus
   sic ait aurata nixus ad antra lyra:
15 'quid tibi cum tali, demens, est flumine? quis te
   carminis heroi tangere iussit opus?
non hic ulla tibi speranda est fama, Properti:
   mollia sunt parvis prata terenda rotis;
ut tuus in scamno iactetur saepe libellus,
20   quem legat exspectans sola puella virum.
cur tua praescriptos evecta est pagina gyros?
   non est ingenii cumba gravanda tui.
alter remus aquas alter tibi radat harenas,
   tutus eris: medio maxima turba mari est.'
25 dixerat, et plectro sedem mihi monstrat eburno,
   quo nova muscoso semita facta solo est.

81. PLINY the elder: *Natural History* 10.81-83

81 lusciniis diebus ac noctibus continuis XV garrulus sine intermissu cantus densante se frondium germine, non in novissimis digna miratu ave. primum tanta vox tam parvo in corpusculo, tam pertinax spiritus; deinde in una perfecta musicae scientia: modulatus editur sonus, et nunc continuo spiritu trahitur in longum, nunc variatur inflexo, nunc
82 distinguitur conciso, copulatur intorto, promittitur revocato; infuscatur ex inopinato, interdum et secum ipse murmurat, plenus, gravis, acutus, creber, extentus, ubi visum est vibrans, summus, medius, imus;

breviterque omnia tam parvulis in faucibus quae tot exquisitis tibiarum tormentis ars hominum excogitavit, ut non sit dubium hanc suavitatem praemonstratam efficaci auspicio cum in ore Stesichori cecinit infantis. ac ne quis dubitet artis esse, plures singulis sunt cantus, nec eidem
83 omnibus, sed sui cuique. certant inter se, palamque animosa contentio est: victa morte finit saepe vitam, spiritu prius deficiente quam cantu. meditantur aliae iuveniores versusque quos imitentur accipiunt: audit discipula intentione magna et reddit vicibusque reticent; intelligitur emendatae correctio et in docente quaedam reprehensio.

82. SILIUS ITALICUS: *Punica* 8.656-676

ecce inter medios belli praesagus, et ore
attonito sensuque simul, clamoribus implet
miles castra feris et anhelat clade futura:
'parcite, crudeles superi. iam stragis acervis
660 deficiunt campi. video per densa volantem
agmina ductorem Libyae currusque citatos
arma virum super atque artus et signa trahentem
turbinibus furit insanis et proelia ventus
inque oculos inque ora rotat. cadit immemor aevi
665 nequiquam, Thrasymene, tuis Servilius oris
subductus. quo, Varro, fugis? pro Iuppiter! ictu
procumbit saxi fessis spes ultima Paulus.
cesserit huic Trebia exitio. pons ecce cadentum
corporibus struitur, ructatque cadavera fumans
670 Aufidus, ac victrix insultat belua campis.
gestat Agenoreus nostro de more secures
consulis, et sparsos lictor fert sanguine fasces.
in Libyam Ausonii portatur pompa triumphi.
o dolor! hoc etiam, superi, vidisse iubetis?
675 congesto, laevae quodcumque avellitur, auro
metitur Latias victrix Carthago ruinas.'

83. LIVY 6.35.6-10

6 omnium igitur simul rerum, quarum immodica cupido inter mortales est, agri, pecuniae, honorum discrimine proposito conterriti patres, cum trepidassent publicis privatisque consiliis, nullo remedio alio praeter expertam multis iam ante certaminibus intercessionem invento collegas
7 adversus tribunicias rogationes comparaverunt. qui ubi tribus ad suffragium ineundum citari a Licinio Sextioque viderunt, stipati patrum praesidiis nec recitari rogationes nec sollemne quicquam aliud ad
8 sciscendum plebi fieri passi sunt. iamque frustra saepe concilio advocato, cum pro antiquatis rogationes essent, 'bene habet' inquit Sextius;

'quando quidem tantum intercessionem pollere placet, isto ipso telo
9 tutabimur plebem. agitedum comitia indicite, patres, tribunis militum creandis; faxo ne iuvet vox ista veto, qua nunc concinentes collegas
10 nostros tam laeti auditis.' haud inritae cecidere minae: comitia praeter aedilium tribunorumque plebi nulla sunt habita.

84. HORACE: *Epodes* 2.1-8, 23-38 and 67-70

'beatus ille, qui procul negotiis,
ut prisca gens mortalium,
paterna rura bubus exercet suis,
solutus omni faenore,
5 neque excitatur classico miles truci,
neque horret iratum mare,
forumque vitat et superba civium
potentiorum limina.

libet iacere modo sub antiqua ilice,
modo in tenaci gramine:
25 labuntur altis interim rivis aquae,
queruntur in silvis aves,
fontesque lymphis obstrepunt manantibus,
somnos quod invitet levis.
at cum tonantis annus hibernus Iovis
30 imbris nivesque comparat,
aut trudit acris hinc et hinc multa cane
apros in obstantis plagas,
aut amite levi rara tendit retia,
turdis edacibus dolos,
35 pavidumque leporem et advenam laqueo gruem
iucunda captat praemia.
quis non malarum, quas amor curas habet,
haec inter obliviscitur?'

haec ubi locutus faenerator Alfius,
iam iam futurus rusticus,
omnem redegit Idibus pecuniam,
70 quaerit Kalendis ponere.

85. SENECA the younger: *de Tranquillitate Animi* 11.7-9

7 morbus est, captivitas, ruina, ignis: nihil horum repentinum est. sciebam, in quam tumultuosum me contubernium natura clusisset. totiens in vicinia mea conclamatum est. totiens praeter limen immaturas exequias fax cereusque praecessit. saepe a latere ruentis aedificii fragor sonuit. multos ex eis, quos forum, curia, sermo mecum

contraxerat, nox abstulit et iunctas sodalium manus interscidit: mirer ad me aliquando pericula accessisse, quae circa me semper erraverint? 8 magna pars hominum est quae navigatura de tempestate non cogitat. numquam me in re bona mali pudebit auctoris. Publilius, tragicis comicisque vehementior ingeniis, quotiens mimicas ineptias et verba ad summam caveam spectantia reliquit, inter multa alia cothurno, non tantum sipario fortiora, et hoc ait:

cuivis potest accidere quod cuiquam potest.

hoc si quis in medullas demiserit et omnia aliena mala, quorum ingens cotidie copia est, sic aspexerit, tamquam liberum illis et ad se iter sit, multo ante se armabit quam petatur. sero animus ad periculorum 9 patientiam post pericula instruitur. 'non putavi hoc futurum,' et 'umquam tu hoc eventurum credidisses?' quare autem non? quae sunt divitiae, quas non egestas et fames et mendicitas a tergo sequatur? quae dignitas, cuius non praetextam et augurale et lora patricia sordes comitentur et exprobratio notae et mille maculae et extrema contemptio? quod regnum est, cui non parata sit ruina et proculcatio et dominus et carnifex? nec magnis ista intervallis divisa, sed horae momentum interest inter solium et aliena genua.

86. LUCRETIUS: *de Rerum Natura* 1.80-101

80 illud in his rebus vereor, ne forte rearis
impia te rationis inire elementa viamque
indugredi sceleris. quod contra saepius illa
religio peperit scelerosa atque impia facta.
Aulide quo pacto Triviai virginis aram
85 Iphianassai turparunt sanguine foede
ductores Danaum delecti, prima virorum.
cui simul infula virgineos circumdata comptus
ex utraque pari malarum parte profusast,
et maestum simul ante aras astare parentem
90 sensit et hunc propter ferrum celare ministros
aspectuque suo lacrimas effundere civis,
muta metu terram genibus summissa petebat.
nec miserae prodesse in tali tempore quibat
quod patrio princeps donarat nomine regem.
95 nam sublata virum manibus tremebundaque ad aras
deductast, non ut sollemni more sacrorum
perfecto posset claro comitari Hymenaeo,
sed casta inceste nubendi tempore in ipso
hostia concideret mactatu maesta parentis,
100 exitus ut classi felix faustusque daretur.
tantum religio potuit suadere malorum.

87. CICERO: *de Officiis* 3.58-60

58 C. Canius, eques Romanus nec infacetus et satis litteratus, cum se Syracusas otiandi, ut ipse dicere solebat, non negotiandi causa contulisset, dictitabat se hortulos aliquos emere velle, quo invitare amicos et ubi se oblectare sine interpellatoribus posset. quod cum percrebruisset, Pythius ei quidam, qui argentariam faceret Syracusis, venales quidem se hortos non habere, sed licere uti Canio, si vellet, ut suis, et simul ad cenam hominem in hortos invitavit in posterum diem. cum ille promisisset, tum Pythius, qui esset ut argentarius apud omnes ordines gratiosus, piscatores ad se convocavit et ab eis petivit, ut ante suos hortulos postridie piscarentur, dixitque quid eos facere vellet. ad cenam tempori venit Canius; opipare a Pythio apparatum convivium, cumbarum ante oculos multitudo; pro se quisque, quod ceperat, 59 afferebat, ante pedes Pythii pisces abiciebantur. tum Canius: 'quaeso,' inquit, 'quid est hoc, Pythi? tantumne piscium? tantumne cumbarum?' et ille: 'quid mirum?' inquit, 'hoc loco est Syracusis quidquid est piscium, hic aquatio, hac villa isti carere non possunt.' incensus Canius cupiditate contendit a Pythio, ut venderet. gravate ille primo. quid multa? impetrat. emit homo cupidus et locuples tanti quanti Pythius voluit, et emit instructos. nomina facit, negotium conficit. invitat Canius postridie familiares suos, venit ipse mature: scalmum nullum videt. quaerit ex proximo vicino, num feriae quaedam piscatorum essent, quod eos nullos videret. 'nullae, quod sciam,' inquit, 'sed hic 60 piscari nulli solent; itaque heri mirabar quid accidisset.' stomachari Canius, sed quid faceret?

88. PLAUTUS: *Pseudolus* 744-763

PSEUDOLUS CHARINUS CALIDORUS

PS: sed quid nomen esse dicam ego isti servo?
CH: Simiae.
745 *PS*: scitne in re advorsa vorsari?
CH: turbo non aeque citust.
PS: ecquid argutust?
CH: malorum facinorum saepissume.
PS: quid quom manufesto tenetur?
CH: anguillast, elabitur.
PS: ecquid is homo scitust?
CH: plebi scitum non est scitius.
PS: probus homo est, ut praedicare te audio.
CH: immo si scias,
750 ubi te aspexerit, narrabit ultro quid sese velis.
sed quid es acturus?
PS: dicam. ubi hominem exornavero,
subditivom fieri ego illum militis servom volo:

symbolum hunc ferat lenoni cum quinque argenti minis,
mulierem ab lenone abducat: em tibi omnem fabulam!
755 ceterum quo quidque pacto faciat ipsi dixero.
CA: quid nunc igitur stamus?
PS: hominem cum ornamentis omnibus
exornatum adducite ad me iam ad tarpezitam Aeschinum.
sed properate.
CA: prius illi erimus quam tu.
PS: abite ergo ocius.
quidquid incerti mi in animo prius aut ambiguom fuit,
760 nunc liquet, nunc defaecatumst cor mihi; nunc perviamst:
omnis ordine his sub signis ducam legiones meas
avi sinistera, auspicio liquido atque ex sententia;
confidentia est inimicos meos me posse perdere.

89. SALLUST: *Oratio Lepidi* (from *Histories*) 7-15

7 agendum atque obviam eundum est, Quirites, ne spolia vostra penes illos sint; non prolatandum neque votis paranda auxilia: nisi forte speratis taedium iam aut pudorem tyrannidis Sullae esse et eum per 8 scelus occupata periculosius dimissurum. at ille eo processit ut nihil gloriosum nisi tutum et omnia retinendae dominationis honesta 9 aestumet. itaque illa quies et otium cum libertate, quae multi probi 10 potius quam laborem cum honoribus capessebant, nulla sunt; hac tempestate serviendum aut imperitandum, habendus metus est aut 11 faciendus, Quirites. nam quid ultra? quaeve humana superant aut divina impolluta sunt? populus Romanus, paulo ante gentium moderator, exutus imperio, gloria, iure, agitandi inops despectusque, ne 12 servilia quidem alimenta reliqua habet. sociorum et Lati magna vis civitate pro multis et egregiis factis a vobis data per unum prohibentur, et plebis innoxiae patrias sedes occupavere pauci satellites mercedem 13 scelerum. leges, iudicia, aerarium, provinciae, reges penes unum; 14 denique necis civium et vitae licentia. simul humanas hostias vidistis et 15 sepulcra infecta sanguine civili. estne viris reliqui aliud quam solvere iniuriam aut mori per virtutem, quoniam quidem unum omnibus finem natura vel ferro saeptis statuit, neque quisquam extremam necessitatem nihil ausus nisi muliebri ingenio exspectat?

90. LUCRETIUS: *de Rerum Natura* 1.927-950

iuvat integros accedere fontis
atque haurire, iuvatque novos decerpere flores
insignemque meo capiti petere inde coronam
930 unde prius nulli velarint tempora musae;
primum quod magnis doceo de rebus et artis
religionum animum nodis exsolvere pergo,

deinde quod obscura de re tam lucida pango
carmina, musaeo contingens cuncta lepore.
935 id quoque enim non ab nulla ratione videtur;
sed veluti pueris absinthia taetra medentes
cum dare conantur, prius oras pocula circum
contingunt mellis dulci flavoque liquore,
ut puerorum aetas improvida ludificetur
940 labrorum tenus, interea perpotet amarum
absinthi laticem deceptaque non capiatur,
sed potius tali pacto recreata valescat,
sic ego nunc, quoniam haec ratio plerumque videtur
tristior esse quibus non est tractata, retroque
945 vulgus abhorret ab hac, volui tibi suaviloquenti
carmine Pierio rationem exponere nostram
et quasi musaeo dulci contingere melle,
si tibi forte animum tali ratione tenere
versibus in nostris possem, dum perspicis omnem
950 naturam rerum qua constet compta figura.

91. LIVY: Praefatio 1-5

1 facturusne operae pretium sim si a primordio urbis res populi Romani
2 perscripserim nec satis scio nec, si sciam, dicere ausim, quippe qui cum veterem tum vulgatam esse rem videam, dum novi semper scriptores aut in rebus certius aliquid allaturos se aut scribendi arte rudem vetustatem
3 superaturos credunt. utcumque erit, iuvabit tamen rerum gestarum memoriae principis terrarum populi pro virili parte et ipsum consuluisse; et si in tanta scriptorum turba mea fama in obscuro sit, nobilitate ac
4 magnitudine eorum me qui nomini officient meo consoler. res est praeterea et immensi operis, ut quae supra septingentesimum annum repetatur et quae ab exiguis profecta initiis eo creverit ut iam magnitudine laboret sua; et legentium plerisque haud dubito quin primae origines proximaque originibus minus praebitura voluptatis sint, festinantibus ad haec nova quibus iam pridem praevalentis populi vires se ipsae
5 conficiunt: ego contra hoc quoque laboris praemium petam, ut me a conspectu malorum quae nostra tot per annos vidit aetas, tantisper certe dum prisca illa tota mente repeto, avertam, omnis expers curae scribentis animum, etsi non flectere a vero, sollicitum tamen efficere posset.

92. LUCAN: *de Bello Civili* 5.424-441

sidera prima poli Phoebo labente sub undas
425 exierant et luna suas iam fecerat umbras,
cum pariter solvere rates, totosque rudentes
laxavere sinus et flexo navita cornu
obliquat laevo pede carbasa summaque pandens

sipara velorum perituras colligit auras.
430 et primum levior propellere lintea ventus
incipit exiguumque tument, vix reddita malo
in mediam cecidere ratem, terraque relicta
non valet ipsa sequi puppes quae vexerat aura.
aequora lenta iacent, alto torpore ligatae
435 pigrius immotis haesere paludibus undae.
sic stat iners Scythicas astringens Bosporus undas,
cum glacie retinente fretum non impulit Hister,
immensumque gelu tegitur mare; comprimit unda
deprendit quascumque rates, nec pervia velis
440 aequora frangit eques, fluctuque latente sonantem
orbita migrantis scindit Maeotida Bessi.

93. PLINY the younger: *Epistulae* 3.21

C. PLINIUS CORNELIO PRISCO SUO S.

1 audio Valerium Martialem decessisse et moleste fero. erat homo ingeniosus acutus acer, et qui plurimum in scribendo et salis haberet 2 et fellis, nec candoris minus. prosecutus eram viatico secedentem; dederam hoc amicitiae, dederam etiam versiculis quos de me composuit. 3 fuit moris antiqui, eos qui vel singulorum laudes vel urbium scripserant, aut honoribus aut pecunia ornare; nostris vero temporibus ut alia speciosa et egregia, ita hoc in primis exolevit. nam postquam desiimus 4 facere laudanda, laudari quoque ineptum putamus. quaeris, qui sint versiculi quibus gratiam rettuli? remitterem te ad ipsum volumen, nisi quosdam tenerem; tu, si placuerint hi, ceteros in libro requires. 5 alloquitur Musam, mandat ut domum meam Esquiliis quaerat, adeat reverenter:

sed ne tempore non tuo disertam
pulses ebria ianuam, videto.
totos dat tetricae dies Minervae,
dum centum studet auribus virorum
hoc, quod saecula posterique possint
Arpinis quoque comparare chartis.
seras tutior ibis ad lucernas:
haec hora est tua, cum furit Lyaeus,
cum regnat rosa, cum madent capilli.
tunc me vel rigidi legant Catones.

6 meritone eum qui haec de me scripsit et tunc dimisi amicissime et nunc ut amicissimum defunctum esse doleo? Dedit enim mihi quantum maximum potuit, daturus amplius si potuisset. tametsi quid homini potest dari maius, quam gloria et laus et aeternitas? at non erunt aeterna quae scripsit: non erunt fortasse, ille tamen scripsit tamquam essent futura. vale.

94. PLAUTUS: *Curculio* 181-203

PALINURUS PLANESIUM PHAEDROMUS

PA: quid tu? Venerin pervigilare te vovisti, Phaedrome?
nam hoc quidem edepol hau multo post luce lucebit.
PH: tace.
PA: quid, taceam? quin tu is dormitum?
PH: dormio, ne occlamites.
PA: tuquidem vigilas.
PH: at meo more dormio: hic somnust mihi.
185 *PA*: heus tu, mulier, male mereri de immerente inscitia est.
PL: irascere, si te edentem hic a cibo abigat.
PA: ilicet!
pariter hos perire amando video, uterque insaniunt.
viden ut misere moliuntur? nequeunt complecti satis.
etiam dispertimini?
PL: nulli est homini perpetuom bonum:
190 iam huic voluptati hoc adiunctumst odium.
PA: quid ais, propudium?
tun' etiam cum noctuinis oculis 'odium' me vocas?
ebriola persolla, nugae.
PH: tun' meam Venerem vituperas?
quod quidem mihi polluctus virgis servos sermonem serat?
at ne tu hercle cum cruciatu magno dixisti id tuo.
195 em tibi male dictis pro istis, dictis moderari ut queas.
PA: tuam fidem, Venu' noctuvigila!
PH: pergin' etiam, verbero?
PL: noli, amabo, verberare lapidem, ne perdas manum.
PA: flagitium probrumque magnum, Phaedrome, expergefacis:
bene monstrantem pugnis caedis, hanc amas, nugas meras.
200 hoccine fieri, ut immodestis hic te moderes moribus?
PH: auro contra cedo modestum amatorem: a me aurum accipe.
PA: cedo mihi contra aurichalco quoi ego sano serviam.
PL: bene vale, ocule mi, nam sonitum et crepitum claustrorum audio.

95. SUETONIUS: *Vespasian* 8

deformis urbs veteribus incendiis ac ruinis erat: vacuas areas occupare, et aedificare, si possessores cessarent, cuicunque permisit. ipse restitutionem Capitoli aggressus, ruderibus purgandis manus primus admovit, ac suo collo quaedam extulit: aerearumque tabularum tria milia, quae simul conflagraverant, restituenda suscepit, undique investigatis exemplaribus: instrumentum imperii pulcherrimum ac vetustissimum, quo continebantur paene ab exordio urbis senatus consulta, plebiscita, de societate, et foedere, ac privilegio, cuicunque concessis. fecit et nova opera, templum Pacis foro proximum; divique Claudi in Caelio monte, coeptum quidem ab Agrippina, sed a Nerone prope funditus destructum: item amphitheatrum urbe media, ut destinasse compererat Augustum. amplissimos ordines, et exhaustos caede varia, et contaminatos veteri neglegentia, purgavit, supplevitque, recenso senatu et equite; summotis indignissimis, et honestissimo quoque Italicorum ac provincialium allecto. atque, uti notum esset, utrumque ordinem non tam libertate inter se, quam dignitate differre, de iurgio quodam senatoris equitisque Romani ita pronuntiavit: non oportere maledici senatoribus, remaledici civile fasque esse. litium series ubique maiorem in modum excreverant, manentibus antiquis, intercapedine iurisdictionis; accedentibus novis, ex condicione tumultuque temporum. sorte elegit, per quos rapta bello restituerentur, quique iudicia centumviralia, quibus peragendis vix suffectura litigatorum aetas videbatur, extra ordinem diiudicarent, redigerentque ad brevissimum numerum.

96. VERGIL: *Georgics* 3.360-380

360 concrescunt subitae currenti in flumine crustae
undaque iam tergo ferratos sustinet orbis,
puppibus illa prius, patulis nunc hospita plaustris;
aeraque dissiliunt vulgo, vestesque rigescunt
indutae, caeduntque securibus umida vina,
365 et totae solidam in glaciem vertere lacunae,
stiriaque impexis induruit horrida barbis.
interea toto non secius aëre ningit:
intereunt pecudes, stant circumfusa pruinis
corpora magna boum, confertoque agmine cervi
370 torpent mole nova et summis vix cornibus exstant.
hos non immissis canibus, non cassibus ullis
puniceaeve agitant pavidos formidine pennae,
sed frustra oppositum trudentis pectore montem
comminus obtruncant ferro graviterque rudentis
375 caedunt et magno laeti clamore reportant.
ipsi in defossis specubus secura sub alta
otia agunt terra, congestaque robora totasque
advolvere focis ulmos ignique dedere.
hic noctem ludo ducunt, et pocula laeti
380 fermento atque acidis imitantur vitea sorbis.

97. LIVY 9.46.1-7

eodem anno Cn. Flavius Cn. filius scriba, patre libertino humili fortuna ortus, ceterum callidus vir et facundus, aedilis curulis fuit.
2 invenio in quibusdam annalibus, cum appareret aedilibus fierique se pro tribu aedilem videret neque accipi nomen quia scriptum faceret, tabulam
3 posuisse et iurasse se scriptum non facturum; quem aliquanto ante desisse scriptum facere arguit Macer Licinius tribunatu ante gesto

triumviratibusque, nocturno altero, altero coloniae deducendae.
4 ceterum, id quod haud discrepat, contumacia adversus contemnentes
5 humilitatem suam nobiles certavit; civile ius, repositum in penetralibus pontificum, evulgavit fastosque circa forum in albo proposuit, ut
6 quando lege agi posset sciretur; aedem Concordiae in area Vulcani summa invidia nobilium dedicavit; coactusque consensu populi Cornelius Barbatus pontifex maximus verba praeire, cum more maiorum negaret nisi consulem aut imperatorem posse templum dedicare.
7 itaque ex auctoritate senatus latum ad populum est ne quis templum aramve iniussu senatus aut tribunorum plebei partis maioris dedicaret.

98. HORACE: *Epodes* 4

lupis et agnis quanta sortito obtigit,
tecum mihi discordia est,
Hibericis peruste funibus latus
et crura dura compede.
5 licet superbus ambules pecunia,
fortuna non mutat genus.
videsne, Sacram metiente te viam
cum bis trium ulnarum toga,
ut ora vertat huc et huc euntium
10 liberrima indignatio?
'sectus flagellis hic triumviralibus
praeconis ad fastidium
arat Falerni mille fundi iugera
et Appiam mannis terit,
15 sedilibusque magnus in primis eques
Othone contempto sedet.
quid attinet tot ora navium gravi
rostrata duci pondere
contra latrones atque servilem manum
20 hoc, hoc tribuno militum?'

99. CICERO: *de Natura Deorum* 2.98-101

98 licet enim iam remota subtilitate disputandi oculis quodammodo contemplari pulchritudinem rerum earum quas divina providentia dicimus constitutas. ac principio terra universa cernatur, locata in media sede mundi, solida et globosa et undique ipsa in sese nutibus suis conglobata, vestita floribus herbis arboribus frugibus, quorum omnium incredibilis multitudo insatiabili varietate distinguitur. adde huc fontium gelidas perennitates, liquores perlucidos amnium, riparum vestitus

viridissimos, speluncarum concavas amplitudines, saxorum asperitates, impendentium montium altitudines immensitatesque camporum; adde etiam reconditas auri argentique venas infinitamque vim marmoris.

99 quae vero et quam varia genera bestiarum vel cicurum vel ferarum! qui volucrum lapsus atque cantus! qui pecudum pastus! quae vita silvestrium! quid iam de hominum genere dicam? qui quasi cultores terrae constituti non patiuntur eam nec immanitate beluarum efferari nec stirpium asperitate vastari, quorumque operibus agri, insulae litoraque collucent distincta tectis et urbibus. quae si ut animis sic oculis videre possemus, nemo cunctam intuens terram de divina ratione dubitaret.

100 at vero quanta maris est pulchritudo! quae species universi! quae multitudo et varietas insularum! quae amoenitates orarum ac litorum! quot genera quamque disparia partim summersarum, partim fluitantium et innantium beluarum, partim ad saxa nativis testis inhaerentium! ipsum autem mare sic terram appetens litoribus alludit, ut una ex duabus

101 naturis conflata videatur. exinde mari finitimus aër die et nocte distinguitur, isque tum fusus et extenuatus sublime fertur, tum autem concretus in nubes cogitur umoremque colligens terram auget imbribus, tum effluens huc et illuc ventos efficit. idem annuas frigorum et calorum facit varietates, idemque et volatus alitum sustinet et spiritu ductus alit et sustentat animantes.

100. STATIUS: *Silvae* 5.4

SOMNUS

crimine quo merui, iuvenis placidissime divum,
quove errore miser, donis ut solus egerem,
Somne, tuis? tacet omne pecus volucresque feraeque
et simulant fessos curvata cacumina somnos,
5 nec trucibus fluviis idem sonus; occidit horror
aequoris, et terris maria acclinata quiescunt.
septima iam rediens Phoebe mihi respicit aegras
stare genas; totidem Oetaeae Paphiaeque renident
lampades et totiens nostros Tithonia questus
10 praeterit et gelido spargit miserata flagello.
unde ego sufficiam? non si mihi lumina mille,
quae sacer alterna tantum statione tenebat
Argus et haud umquam vigilabat corpore toto.
at nunc heu! si aliquis longa sub nocte puellae
15 brachia nexa tenens ultro te, Somne, repellit,
inde veni, nec te totas infundere pennas
luminibus compello meis: hoc turba precetur
laetior: extremo me tange cacumine virgae
(sufficit) aut leviter suspenso poplite transi.

101. LIVY 42.41.1-2 and 9-14

1 ad ea rex 'bonam causam, si apud iudices aequos ageretur, apud
2 eosdem et accusatores et iudices agam. eorum autem quae obiecta sunt mihi, partim ea sunt quibus nescio an gloriari debeam, neque quae fateri erubescam, partim quae verbo obiecta verbo negare sit.

9 et haec quidem mihi tamquam causam dicenti reo obiecta sunt: illa tamquam regi, quae de foedere quod mihi est vobiscum disceptationem
10 habeant. nam si est in foedere ita scriptum ut ne si bellum quidem quis inferat, tueri me regnumque meum liceat, mihi fatendum est, quod me armis adversus Abrupolim socium populi Romani defenderim, foedus
11 violatum esse. sin autem hoc et ex foedere licuit, et iure gentium ita comparatum est ut arma armis propulsentur, quid tandem me facere decuit, cum Abrupolis fines mei regni usque ad Amphipolim pervastasset, multa libera capita, magnam vim mancipiorum, multa milia pecorum
12 abegisset? quiescerem et paterer, donec Pellam et in regiam meam armatus pervenisset? at enim bello quidem iusto sum persecutus, sed vinci non oportuit eum neque alia quae victis accidunt pati; quorum casum cum ego subierim, qui sum armis lacessitus, quid potest queri sibi
13 accidisse, qui causa belli fuit? non sum eodem modo defensurus, Romani, quod Dolopas armis coercuerim, quia, etsi non merito eorum, iure feci meo, cum mei regni, meae dicionis essent, vestro decreto patri
14 attributi meo. nec, si causa reddenda sit non vobis nec foederatis, sed eis, qui ne in servos quidem saeva atque iniusta imperia probant, plus aequo et bono saevisse in eos videri possum: quippe Euphranorem praefectum a me impositum ita occiderunt, ut mors poenarum eius levissima fuerit.'

102. LUCAN: *de Bello Civili* 9.566-580

quid quaeri, Labiene, iubes? an liber in armis
occubuisse velim potius quam regna videre?
an sit vita nihil sed longa an differat aetas?
an noceat vis ulla bono fortunaque perdat
570 opposita virtute minas, laudandaque velle
sit satis et numquam successu crescat honestum?
scimus, et hoc nobis non altius inseret Ammon.
haeremus cuncti superis, temploque tacente
nil facimus non sponte dei; nec vocibus ullis
575 numen eget, dixitque semel nascentibus auctor
quidquid scire licet sterilesne elegit harenas
ut caneret paucis, mersitque hoc pulvere verum,
estque dei sedes, nisi terra et pontus et aer
et caelum et virtus? superos quid quaerimus ultra?
580 Iuppiter est quodcumque vides, quodcumque moveris.

103. CAESAR (from CICERO: ad Atticum 9.16.2-3 and 10.8B)

CAESAR IMP. CICERONI IMP. SAL. DIC.

2 recte auguraris de me (bene enim tibi cognitus sum) nihil a me abesse longius crudelitate. atque ego cum ex ipsa re magnam capio voluptatem tum meum factum probari abs te triumpho gaudio. neque illud me movet quod ei qui a me dimissi sunt discessisse dicuntur ut mihi rursus bellum inferrent. nihil enim malo quam et me mei similem esse et illos sui.

3 tu velim mihi ad urbem praesto sis ut tuis consiliis atque opibus, ut consuevi, in omnibus rebus utar. Dolabella tuo nihil scito mihi esse iucundius. hanc adeo habebo gratiam illi; neque enim aliter facere poterit. tanta eius humanitas, is sensus, ea in me est benevolentia.

CAESAR IMP. SAL. D. CICERONI IMP.

1 etsi te nihil temere, nihil imprudenter facturum iudicaram, tamen permotus hominum fama scribendum ad te existimavi et pro nostra benevolentia petendum ne quo progredereris proclinata iam re quo integra progrediendum tibi non existimasses. namque et amicitiae graviorem iniuriam feceris et tibi minus commode consulueris, si non fortunae obsecutus videberis (omnia enim secundissima nobis, adversissima illis accidisse videntur), nec causam secutus (eadem enim tum fuit cum ab eorum consiliis abesse iudicasti), sed meum aliquod factum condem-
2 navisse; quo mihi gravius abs te nihil accidere potest. quod ne facias pro iure nostrae amicitiae a te peto. postremo quid viro bono et quieto et bono civi magis convenit quam abesse a civilibus controversiis? quod non nulli cum probarent, periculi causa sequi non potuerunt; tu explorato et vitae meae testimonio et amicitiae iudicio neque tutius neque honestius reperies quicquam quam ab omni contentione abesse. XV Kal. Mai. ex itinere.

104. PLAUTUS: *Epidicus* 126-140

EPIDICUS STRATIPPOCLES

EP: aggrediar hominem. advenientem peregre erum suom Stratippoclem impertit salute servos Epidicus?
ST: ubi is est?
EP: adest.
salvom huc advenisse –
ST: tam tibi istuc credo quam mihi.
EP: benene usque valuisti?
ST: a morbo valui, ab animo aeger fui.
130 *EP*: quod ad me attinuit, ego curaui: quod mandasti tu mihi impetratum est. empta ancillast, quod tute ad me litteras missiculabas.

ST: perdidisti omnem operam.
EP: nam qui perdidi?
ST: quia meo neque cara est cordi neque placet.
EP: quid retulit
mihi tanto opere te mandare et mittere ad me epistulas?
135 *ST*: illam amabam olim, nunc iam alia cura impendet pectori.
EP: hercle miserum est ingratum esse homini id quod facias bene,
ego quod bene feci male feci, quia amor mutavit locum.
ST: desipiebam mentis quom illa scripta mittebam tibi.
EP: men' piacularem oportet fieri ob stultitiam tuam,
140 ut meum tergum tuae stultitiae subdas succidaneum?

105. QUINTILIAN: *Institutio Oratoria* 10.3.17-21

17 diversum est huic eorum vitium qui primo decurrere per materiam stilo quam velocissimo volunt, et sequentes calorem atque impetum ex tempore scribunt: hanc silvam uocant. repetunt deinde et componunt quae effuderant: sed verba emendantur et numeri, manet in rebus
18 temere congestis quae fuit levitas. protinus ergo adhibere curam rectius erit, atque ab initio sic opus ducere ut caelandum, non ex integro fabricandum sit. aliquando tamen affectus sequemur, in quibus fere plus calor quam diligentia valet.

satis apparet ex eo quod hanc scribentium neglegentiam damno, quid
19 de illis dictandi deliciis sentiam. nam in stilo quidem quamlibet properato dat aliquam cogitationi moram non consequens celeritatem eius manus: ille cui dictamus urget, atque interim pudet etiam dubitare aut resistere aut mutare quasi conscium infirmitatis nostrae timentis.
20 quo fit ut non rudia tantum et fortuita, sed impropria interim, dum sola est conectendi sermonis cupiditas, effluant, quae nec scribentium curam nec dicentium impetum consequantur. at idem ille qui excipit, si tardior in scribendo aut incertior in legendo velut offensator fuerit, inhibetur cursus, atque omnis quae erat concepta mentis intentio mora
21 et interdum iracundia excutitur. tum illa quae altiorem animi motum sequuntur quaeque ipsa animum quodam modo concitant, quorum est iactare manum, torquere vultum, †simul et† interim obiurgare, quaeque Persius notat cum leviter dicendi genus significat ('nec pluteum' inquit 'caedit nec demorsos sapit unguis') etiam ridicula sunt, nisi cum soli sumus.

106. LUCRETIUS; *de Rerum Natura* 3.931-951

denique si vocem rerum natura repente
mittat et hoc alicui nostrum sic increpet ipsa
'quid tibi tanto operest, mortalis, quod nimis aegris
luctibus indulges? quid mortem congemis ac fles?
935 nam si grata fuit tibi vita anteacta priorque

et non omnia pertusum congesta quasi in vas
commoda perfluxere atque ingrata interiere,
cur non ut plenus vitae conviva recedis
aequo animoque capis securam, stulte, quietem?
940 sin ea quae fructus cumque es periere profusa
vitaque in offensast, cur amplius addere quaeris,
rursum quod pereat male et ingratum occidat omne,
non potius vitae finem facis atque laboris?
nam tibi praeterea quod machiner inveniamque,
945 quod placeat, nil est: eadem sunt omnia semper.
si tibi non annis corpus iam marcet et artus
confecti languent, eadem tamen omnia restant,
omnia si pergas vivendo vincere saecla,
atque etiam potius, si numquam sis moriturus,'
950 quid respondemus, nisi iustam intendere litem
naturam et veram verbis exponere causam?

107. TACITUS: *Annals* 14.53-54

53 at Seneca criminantium non ignarus, prodentibus eis quibus aliqua honesti cura et familiaritatem eius magis aspernante Caesare, tempus sermoni orat et accepto ita incipit: 'quartus decimus annus est, Caesar, ex quo spei tuae admotus sum, octavus ut imperium obtines: medio temporis tantum honorum atque opum in me cumulasti ut nihil felicitati meae desit nisi moderatio eius. utar magnis exemplis nec meae fortunae sed tuae. abavus tuus Augustus Marco Agrippae Mytilenense secretum, C. Maecenati urbe in ipsa velut peregrinum otium permisit; quorum alter bellorum socius, alter Romae pluribus laboribus iactatus ampla quidem sed pro ingentibus meritis praemia acceperant. ego quid aliud munificentiae tuae adhibere potui quam studia, ut sic dixerim, in umbra educata, et quibus claritudo venit, quod iuventae tuae rudimentis adfuisse videor, grande huius rei pretium. at tu gratiam immensam, innumeram pecuniam circumdedisti adeo ut plerumque intra me ipse volvam: egone equestri et provinciali loco ortus proceribus civitatis adnumeror? inter nobilis et longa decora praeferentis novitas mea enituit? ubi est animus ille modicis contentus? talis hortos exstruit et per haec suburbana incedit et tantis agrorum spatiis, tam lato faenore exuberat? una defensio occurrit quod muneribus tuis obniti non debui.

54 sed uterque mensuram implevimus, et tu, quantum princeps tribuere amico posset, et ego, quantum amicus a principe accipere: cetera invidiam augent. quae quidem, ut omnia mortalia, infra tuam magnitudinem iacet, sed mihi incumbit, mihi subveniendum est. quo modo in militia aut via fessus adminiculum orarem, ita in hoc itinere vitae senex et levissimis quoque curis impar, cum opes meas ultra sustinere non possim, praesidium peto. iube rem per procuratores tuos administrari, in tuam fortunam recipi.'

108. HORACE: *Satires* 2.6.1-19

hoc erat in votis: modus agri non ita magnus,
hortus ubi et tecto vicinus iugis aquae fons
et paulum silvae super his foret. auctius atque
di melius fecere. bene est. nil amplius oro,
5 Maia nate, nisi ut propria haec mihi munera faxis.
si neque maiorem feci ratione mala rem
nec sum facturus vitio culpave minorem,
si veneror stultus nihil horum, 'o si angulus ille
proximus accedat qui nunc denormat agellum!
10 o si urnam argenti fors quae mihi monstret, ut illi,
thesauro invento qui mercennarius agrum
illum ipsum mercatus aravit, dives amico
Hercule!' si quod adest gratum iuvat, hac prece te oro:
pingue pecus domino facias et cetera praeter
15 ingenium, utque soles custos mihi maximus adsis.
ergo ubi me in montis et in arcem ex urbe removi,
quid prius illustrem satiris musaque pedestri?
nec mala me ambitio perdit nec plumbeus Auster
autumnusque gravis, Libitinae quaestus acerbae.

109. CICERO: *ad Atticum* 6.2.4-5

Scr. Laodiceae in. mense Mai. an. 704 (50 B.C.)

4 laetari te nostra moderatione et continentia video; tum id magis faceres, si adesses. atque hoc foro quod egi ex Id. Febr. Laodiceae ad Kal. Mai. omnium dioecesium praeter Ciliciae mirabilia quaedam effecimus; ita multae civitates omni aere alieno liberatae, multae valde levatae sunt, omnes suis legibus et iudiciis usae *autonomian* adeptae revixerunt. his ego duobus generibus facultatem ad se aere alieno liberandas aut levandas dedi: quo quod omnino nullus in imperio meo sumptus factus est (nullum cum dico non loquor *hyperbolikōs*), nullus inquam, ne terruncius quidem; hac autem re incredibile est
5 quantum civitates emerserint. accessit altera: mira erant in civitatibus ipsorum furta Graecorum quae magistratus sui fecerant; quaesivi ipse de eis qui annis decem proximis magistratum gesserant; aperte fatebantur; itaque sine ulla ignominia suis umeris pecunias populis rettulerunt. populi autem nullo gemitu publicanis, quibus hoc ipso lustro nihil solverant, etiam superioris lustri reliqua reddiderunt; itaque publicanis in oculis sumus. 'gratis' inquis 'viris.' sensimus. iam cetera iuris dictio nec imperita et clemens cum admirabili facilitate; aditus autem ad me minime provinciales; nihil per cubicularium; ante lucem inambulabam domi ut olim candidatus. grata haec et magna mihique nondum laboriosa ex illa vetere militia.

110. MARTIAL 9.6(7), and 12.25

dicere de Libycis reduci tibi gentibus, Afer,
continuis volui quinque diebus Ave:
'non vacat' aut 'dormit' dictum est bis terque reverso.
iam satis est: non vis, Afer, avere: vale.

* * * *

scribere te quae vix intellegat ipse Modestus
et vix Claranus quid rogo, Sexte, iuvat?
non lectore tuis opus est sed Apolline libris:
iudice te maior Cinna Marone fuit.
5 sic tua laudentur sane: mea carmina, Sexte,
grammaticis placeant, ut sine grammaticis.

* * * *

cum rogo te nummos sine pignore, 'non habeo' inquis;
idem, si pro me spondet agellus, habes:
quod mihi non credis veteri, Telesine, sodali,
credis coliculis arboribusque meis.
5 ecce reum Carus te detulit: adsit agellus.
exilii comitem quaeris: agellus eat.

111. LIVY 29.15.11-16.3

15:11 ex hoc senatus consulto accitis Romam magistratibus primoribusque earum coloniarum consules cum milites stipendiumque imperassent, alii 12 aliis magis recusare ac reclamare: negare tantum militum effici posse: 13 vix si simplum ex formula imperetur enisuros: orare atque obsecrare ut sibi senatum adire ac deprecari liceret: nihil se quare perire merito deberent admisisse; sed si pereundum etiam foret, neque suum delictum neque iram populi Romani ut plus militum darent quam haberent posse 14 efficere. consules obstinati legatos manere Romae iubent, magistratus ire domum ad dilectus habendos: nisi summa militum quae imperata esset 15 Romam adducta neminem eis senatum daturum. ita praecisa spe senatum adeundi deprecandique dilectus in eis duodecim coloniis per longam vacationem numero iuniorum aucto haud difficulter est perfectus.

16:1 altera item res prope aeque longo neglecta silentio relata a M. Valerio Laevino est qui privatis collatas pecunias se ac M. Claudio consulibus 2 reddi tandem aequum esse dixit; nec mirari quemquam debere in publica obligata fide suam praecipuam curam esse; nam praeterquam quod aliquid proprie ad consulem eius anni quo collatae pecuniae essent pertineret, etiam se auctorem ita conferendi fuisse inopi aerario nec 3 plebe ad tributum sufficiente. grata ea patribus admonitio fuit; iussisque referre consulibus decreverunt ut tribus pensionibus ea pecunia solveretur: primam praesentem ei qui tum essent, duas tertii et quinti consules numerarent.

112. JUVENAL: *Satires* 7.53-68

sed vatem egregium, cui non sit publica vena,
qui nil expositum soleat deducere, nec qui
55 communi feriat carmen triviale moneta,
hunc, qualem nequeo monstrare et sentio tantum,
anxietate carens animus facit, omnis acerbi
impatiens, cupidus silvarum aptusque bibendis
fontibus Aonidum. neque enim cantare sub antro
60 Pierio thyrsumque potest contingere maesta
paupertas atque aeris inops, quo nocte dieque
corpus eget: satur est cum dicit Horatius 'euhoe.'
quis locus ingenio, nisi cum se carmine solo
vexant et dominis Cirrhae Nysaeque feruntur
65 pectora vestra duas non admittentia curas?
magnae mentis opus nec de lodice paranda
attonitae, currus et equos faciesque deorum
aspicere et qualis Rutulum confundat Erinys.

113. TACITUS: *Annals* 16.22

quin et illa obiectabat, principio anni vitare Thraseam sollemne ius iurandum; nuncupationibus votorum non adesse, quamvis quindecimvirali sacerdotio praeditum; numquam pro salute principis aut caelesti voce immolavisse; assiduum olim et indefessum, qui vulgaribus quoque patrum consultis semet fautorem aut adversarium ostenderet, triennio non introisse curiam; nuperrimeque, cum ad coercendos Silanum et Veterem certatim concurreretur, privatis potius clientium negotiis vacavisse. secessionem iam id et partis et, si idem multi audeant, bellum esse. 'ut quondam C. Caesarem' inquit 'et M. Catonem, ita nunc te, Nero, et Thraseam avida discordiarum civitas loquitur. et habet sectatores vel potius satellites, qui nondum contumaciam sententiarum, sed habitum vultumque eius sectantur, rigidi et tristes, quo tibi lasciviam exprobrent. huic uni incolumitas tua sine cura, artes sine honore. prospera principis respuit: etiamne luctibus et doloribus non satiatur? eiusdem animi est Poppaeam divam non credere, cuius in acta divi Augusti et divi Iuli non iurare. spernit religiones, abrogat leges. diurna populi Romani per provincias, per exercitus curatius leguntur, ut noscatur quid Thrasea non fecerit. aut transeamus ad illa instituta, si potiora sunt, aut nova cupientibus auferatur dux et auctor. ista secta Tuberones et Favonios, veteri quoque rei publicae ingrata nomina, genuit. ut imperium evertant libertatem praeferunt: si perverterint, libertatem ipsam aggredientur. frustra Cassium amovisti, si gliscere et vigere Brutorum aemulos passurus es. denique nihil ipse de Thrasea scripseris: disceptatorem senatum nobis relinque.'

114. LUCRETIUS: *de Rerum Natura* 3.912-930

hoc etiam faciunt ubi discubuere tenentque
pocula saepe homines et inumbrant ora coronis,
ex animo ut dicant 'brevis hic est fructus homullis;
915 iam fuerit neque post umquam revocare licebit.'
tamquam in morte mali cum primis hoc sit eorum,
quod sitis exurat miseros atque arida torrat,
aut aliae cuius desiderium insideat rei.
nec sibi enim quisquam tum se vitamque requirit,
920 cum pariter mens et corpus sopita quiescunt.
nam licet aeternum per nos sic esse soporem,
nec desiderium nostri nos afficit ullum.
et tamen haudquaquam nostros tunc illa per artus
longe ab sensiferis primordia motibus errant,
925 cum correptus homo ex somno se colligit ipse.
multo igitur mortem minus ad nos esse putandumst,
si minus esse potest quam quod nil esse videmus;
maior enim turba et disiectus materiai
consequitur leto nec quisquam expergitus exstat,
930 frigida quem semel est vitai pausa secuta.

115. CICERO: *Divinatio in Q. Caecilium* 30-33

queritur Sicilia tota C. Verrem ab aratoribus, cum frumentum sibi in cellam imperavisset, et cum esset triciti modius HS II, pro frumento in modios singulos duodenos sestertios exegisse. magnum crimen, ingens pecunia, furtum impudens, iniuria non ferenda! ego hoc uno crimine 31 illum condemnem necesse est: tu, Caecili, quid facies? utrum hoc tantum crimen praetermittes an obicies? si obicies, idne alteri crimini dabis quod eodem tempore in eadem provincia tu ipse fecisti? audebis ita accusare alterum ut quo minus tute condemnere recusare non possis? sin praetermittes, qualis erit tua ista accusatio, quae domestici periculi metu certissimi et maximi criminis non modo sponsionem, verum etiam 32 mentionem ipsam pertimescat? emptum est ex senatus consulto frumentum ab Siculis praetore Verre, pro quo frumento pecunia omnis soluta non est. grave est hoc crimen in Verrem, grave me agente, te accusante nullum; eras enim tu quaestor, pecuniam publicam tu tractabas, ex qua, etiamsi cuperet praetor, tamen ne qua deductio fieret magna ex parte tua potestas erat. huius quoque igitur criminis te accusante mentio nulla fiet: silebitur toto iudicio de maximis et notissimis illius furtis et iniuriis. mihi crede, Caecili, non potest in accusando socios vere defendere is qui cum reo criminum societate coniunctus est. 33 mancipes a civitatibus pro frumento pecuniam exegerunt. quid? hoc Verre praetore factum est solum? non, sed etiam quaestore Caecilio.

quid igitur? daturus es huic crimini quod et potuisti prohibere ne fieret et debuisti, an totum id relinques? ergo id omnino Verres in iudicio suo non audiet quod, cum faciebat, quem ad modum defensurus esset non reperiebat.

116. LUCAN: *de Bello Civili* 7.397-411

non aetas haec carpsit edax monimentaque rerum
putria destituit: crimen civile videmus
tot vacuas urbes. generis quo turba redacta est
400 humani! toto populi qui nascimur orbe
nec muros implere viris nec possumus agros:
urbs nos una capit. vincto fossore coluntur
Hesperiae segetes, stat tectis putris avitis
in nullos ruitura domus, nulloque frequentem
405 cive suo Romam sed mundi faece repletam
cladis eo dedimus, ne tanto in corpore bellum
iam possit civile geri. Pharsalia tanti
causa mali. cedant feralia nomina Cannae
et damnata diu Romanis Allia fastis.
410 tempora signavit leviorum Roma malorum,
hunc voluit nescire diem. pro tristia fata!

117. SIR THOMAS MORE: *Utopia* 2.6.98-99

at Anemolii, quod longius aberant, ac minus cum illis commercii habuerant, cum accepissent eodem omnes eoque rudi corporis cultu esse, persuasi non habere eos quo non utebantur, ipsi etiam superbi magis quam sapientes, decreverunt apparatus elegantia deos quosdam repraesentare, et miserorum oculos Utopiensium ornatus sui splendore praestringere. itaque ingressi sunt legati tres cum comitibus centum, omnes vestitu versicolori, plerique serico, legati ipsi (nam domi nobiles erant) amictu aureo, magnis torquibus et inauribus aureis, ad haec anulis aureis in manibus, monilibus insuper appensis in pileo, quae
99 margaritis ac gemmis affulgebant; omnibus postremo rebus ornati quae apud Utopienses aut servorum supplicia, aut infamium dedecora, aut puerorum nugamenta fuere. itaque operae pretium erat videre quo pacto cristas erexerint, ubi suum ornatum cum Utopiensium vestitu (nam in plateis sese populus effuderat) contulere. contraque non minus erat voluptatis considerare quam longe sua eos spes expectatioque fefellerat, quamque longe ab ea existimatione aberant, quam se consecuturos putaverant. nempe Utopiensium oculis omnium, exceptis perquam paucis, qui alias gentes aliqua idonea de causa inviserant, totus ille splendor apparatus pudendus videbatur, et infimum quemque pro dominis reverenter salutantes, legatos ipsos, ex aurearum usu catenarum pro servis habitos, sine ullo prorsus honore praetermiserunt. quin

pueros quoque vidisses, qui gemmas ac margaritas abiecerant, ubi in legatorum pileis affixas conspexerunt, compellare matrem ac latus fodere: 'en, mater, quam magnus nebulo margaritis adhuc et gemmulis utitur, ac si esset puerulus.' at parens serio etiam illa, 'tace,' inquit, 'fili; est, opinor, quispiam e morionibus legatorum.'

118. JUVENAL: *Satires* 1.127-146

ipse dies pulchro distinguitur ordine rerum:
sportula, deinde forum iurisque peritus Apollo
atque triumphales, inter quas ausus habere
130 nescio quis titulos Aegyptius atque Arabarches,
cuius ad effigiem non tantum meiere fas est.
vestibulis abeunt veteres lassique clientes
notaque deponunt, quamquam longissima cenae
spes homini; caulis miseris atque ignis emendus.
135 optima silvarum interea pelagique vorabit
rex horum vacuisque toris tantum ipse iacebit.
nam de tot pulchris et latis orbibus et tam
antiquis una comedunt patrimonia mensa.
nullus iam parasitus erit. sed quis ferat istas
140 luxuriae sordes? quanta est gula quae sibi totos
ponit apros, animal propter convivia natum!
poena tamen praesens, cum tu deponis amictus
turgidus et crudum pavonem in balnea portas.
hinc subitae mortes atque intestata senectus.
145 it nova nec tristis per cunctas fabula cenas;
ducitur iratis plaudendum funus amicis.

119. RICHARD BENTLEY: from a note on HORACE: *Odes* 1.23.5

nam seu mobilibus veris inhorruit adventus foliis:– ita libri quidem nostri magna constantia. quae autem lectio multis nominibus cordato lectori displicere debet. neque enim poterat *veris adventus inhorrescere foliis* cum eo tempore nondum nata sint folia: ver enim ipsum frondes educit. neque adventu veris *hinulei matres quaeritant*: cum ante ver adultum cervae non pariant. neque tunc temporis *lacertae rubos dimovent* cum ex latebris suis in quas hieme se condunt tam mature non prodeant. neque porro, si haec omnia sustuleris, Latine dici potest *adventus veris inhorruit foliis,* cum retro potius oratio constituenda sit, ut *folia inhorrescant adventu veris.* nulla paene mutatione locus sic legendus est:

nam seu mobilibus vepris *inhorruit*
ad ventum *foliis.*

nihil profecto hac coniectura certius est, suoque ipsa lumine aeque se probat, ac si ex centum scriptis codicibus proferretur . . . cum exemplar Heinsiani Horatii nactus essem, in libri margine hoc adnotatum repperi, VEPRIS *Salmasius*: hanc autem, quaecunque est, emendationis praereptae laudem viro maxime libenter concedo; quam habeat secum, servetque sepulcro.

120. JOHN MILTON: from *Elegy* 1 to C. Diodatus 9-26

me tenet urbs reflua quam Thamesis alluit unda,
10 meque nec invitum patria dulcis habet.
iam nec arundiferum mihi cura revisere Camum,
nec dudum vetiti me laris angit amor.
nuda nec arva placent, umbrasque negantia molles;
quam male Phoebicolis convenit ille locus!
15 nec duri libet usque minas perferre magistri,
ceteraque ingenio non subeunda meo.
si sit hoc exilium patrios adiisse penates,
et vacuum curis otia grata sequi,
non ego vel profugi nomen sortemve recuso,
20 laetus et exilii condicione fruor.
o utinam vates numquam graviora tulisset
ille Tomitano flebilis exul agro;
non tunc Ionio quicquam cessisset Homero,
neve foret victo laus tibi prima, Maro.
25 tempora nam licet hic placidis dare libera Musis,
et totum rapiunt me, mea vita, libri.